青春文庫

「カノッサの屈辱」を30秒で説明せよ

世界史を攻略する86の〝パワー・ワード〟

おもしろ世界史学会［編］

青春出版社

はじめに

世界史には、一度聞いたら忘れられない〝強い〟ワードとフレーズがたくさんあります。「グレート・ジャーニー」「光は東方より」「天下三分の計」「カノッサの屈辱」「自由か死か」「暗黒の木曜日」「王冠をかけた恋」……。でも、言葉として聞いたことはあっても、実は中身は覚えてなかったりしませんか？　本書では、これら〝パワー・ワード〟を通して、世界史のポイントを理解し、それぞれ〝30秒〟で説明できるようにまとめました。

さらに、本書は「歴史の本」ですが、同時に「言葉の本」でもあります。たとえば、「大航海時代」は日本人がつくった言葉であることをご存じでしょうか。あるいは、近年では「オスマントルコ」と呼ばなくなっていることをご存じでしょうか。そんな興味深い言葉についても、紹介しました。

『新約聖書』に「始めに言葉ありき」とありますが、たしかに歴史は言葉とともにはじまり、言葉によって記録されてきました。そして、数々の名言やパワー・ワードを生んできました。どこかで読んだり、聞いたりして記憶に残っている言葉もすくなくないはずです。ぜひこの本を開いてみてください。いっしょに歴史のパワー・ワードをめぐる時間旅行に出発しましょう。

２０２２年９月

おもしろ世界史学会

Chapter1　原始・古代〈オリエント・ギリシア〉

Chapter2　古代〈ローマ〉

天才軍略家「ハンニバル」は、なぜ〝アルプス越え〟を選んだのか――37

Chapter4　中世

Chapter5　近世

Chapter6　近代

Chapter7　現代

本文写真提供■ Bridgeman Images/ アフロ
■ TopFoto/ アフロ
■ Heritage Image/ アフロ
ＤＴＰ■フジマックオフィス

Chapter1 **原始・古代**〈オリエント・ギリシア〉

最初の世界帝国を生んだ無敵の陣形「ファランクス」とは？

グレート・ジャーニー

人類最初の「大旅行」の顚末は？

「グレート・ジャーニー」は、東アフリカを出発した人類が、アジア、北アメリカを経由して、南アメリカの南端、パタゴニアに到着するまでの5万キロの「旅」を指す言葉です。

そもそも、人類の祖先は、アフリカ大陸で生まれました。霊長類から進化した猿人が二足歩行をはじめたのです。人類の祖先がアフリカで生まれたことは、当時のアフリカの地形的な変動と関係しています。その頃、アフリカ東部では、プレートが分裂して火山活動が活発になり、その影響で乾燥気候へ変化し、熱帯雨林が草原に変わりました。そして、それまでジャングルの樹上で暮らしていた霊長類が草原に進出し、二足歩行するようになったのです。

猿人は原人を経て、新人にまで進化してから、同大陸を脱出、世界に散らばっていきました。近年では、新人が約20万年前、アフリカ大陸からアラビア半島に進出、ユーラシア大陸に広がっていったことが、ほぼ定説となっています。その長大な旅を「グレート・ジャーニー」と呼びます。

そうして、世界中に広がりはじめた人類ですが、その最大の悩みは食料の確保でした。狩猟や木の実や果実の採集によって食料を得ていましたが、それだけでは安定した確保はできませんでした。

人類は、その問題を「農耕」と「牧畜」を開始することで克服します。それらが発達して、安定的に食料を手に入れられるようになると、人類の暮らしは劇的に変化しました。集落が大きくなり、富が蓄積され、都市が生まれました。そうして、人類の「文明」と「歴史」が始まったのです。

肥沃な三日月地帯

何が「三日月」の形なのか

その農耕は「肥沃な三日月地帯」で始まったという説が有力です。同地帯は、今のイラク南部を中心に、ティグリス川、ユーフラテス川、東地中海、ナイル川の沿岸地域を指す言葉。その地域をつなぐと「三日月形」になることから、J・H・ブレステドというアメリカのオリエント学者が名づけた名前です。

その地域のなかでも、原始的な農耕が始まったのは、ティグリス・ユーフラテス両川のほとりでした。紀元前9000年頃、シュメール人がインド方面からこの地に移住し、この肥沃な土地で農耕を開始したとみられます。

その後、紀元前6500年頃には集落が発達し、紀元前3000年前後、メソポタミア南部に、歴史上最初の「都市」が生まれたとみられます。それが、いわゆる「メソポタミア文明」の舞台となりました。

その頃、メソポタミア地方では、ほぼ同時に、複数の都市が生まれるのですが、なかでも最大都市だったのがウルです。

ウルは、レンガ造りの祭壇を中心とし、周囲を城壁で囲んだ神権・都市国家でした。ウルは、ウルク、ラガシュ、キシュといった近隣の都市国家と交易や戦いを繰り返しながら発展しました。すでに王がいて、神官、官僚・軍人、商人、職人などの階級が存在したことがわかっています。

なお、世界で最初に「パン」を食べたのも、彼らメソポタミアの人々でした。紀元前７５００〜６５００年頃には、メソポタミアでは、すでに小麦の栽培がはじまり、紀元前４０００年頃には、パンがつくられていました。ただし、まだ発酵技術はなかったため、当時の「パン」は、小麦粉を水で練ってつくった生地を焼いただけのものでした。

その後、この世界初の都市文明が衰退した原因は、「環境破壊」だったとみられます。食料に恵まれ、人口が増えると、居住地や農地を拡大するため、周囲の森林を過剰伐採し、その結果、森林資源が枯渇したのです。

目には目を歯には歯を

ハンムラビ法典が「復讐法」になった理由

「目には目を、歯には歯を」は、ハンムラビ法典の基本精神を表す言葉。同法典ができるまでをふりかえってみましょう。

古代のメソポタミアでは、多数の国家と民族が興亡を繰り返しますが、最も繁栄したのは、古バビロニア王国でした。その第６代の国王が、ハンムラビ王です。彼は紀元前18世紀、全メソポタミアを統一し、「ハンムラビ法典」を制定します。広大な国土を統治するためには、「法」が必要になったのです。

なお、同法典は「世界最古の法律」のようにいわれますが、厳密にいうと「全条文が残っている世界最古の法典」です。それ以前にも、シュメール人らの法があり、ハンムラビ王はそれらの法も取り入れて、集大成したのです。

「目には目を、歯には歯を」という成句のもとになったのは、その第196条と第200条です。

前者には「もしある市民が、他の市民の目をつぶすなら、彼の目をつぶさなければならない」と規定され、後者には「もしある市民が、彼に対等の市民の歯を折るならば、彼の歯を打ち折らねばならない」と規定されています。

ハンムラビ法典は「復讐法」であり、その法理の一つが「同害報復」でした。それは「やられたら、やりかえせ」といっているようで、野蛮なルールのようにも思えますが、じつは当時としては争いを最小限におさえるためのルールでした。

古代社会では、暴力行為に対する「復讐」は当たり前のことで、しばしばエスカレートし、部族間の争いにまで発展することがありました。そこで、ハンムラビ法典では、争いの拡大を防ぐため、復讐していいのは当事者に限定し、また受けた被害と同等の罰を与えるというルールを定めたのでした。

つまり、「やられたら、やりかえしてもいいが、必要以上にやり返してはダメ」というルールです。それが「目には目を」という言葉の真意でした。

エジプトはナイルの賜物

国の繁栄は、川の氾濫とともに

「エジプトはナイルの賜物」は、古代ギリシアの歴史家ヘロドトスが残したとされる言葉。その意味は「古代エジプト文明は、ナイル川の恵みによって生まれた」ということです。

メソポタミア文明が生まれたのとほぼ同時期、ナイル川の河畔にも文明が誕生しました。それが、エジプト文明です。

かつては、エジプト文明に、メソポタミア文明、インダス文明、黄河文明を加えて「四大文明」と総称しましたが、この言葉は今ではほとんど使われなくなり、教科書からも消えています。近年の研究・調査で、世界には他にも多数多様な文明があったことがわかってきたからです。今は、単に「古代文明」と総称されています。

その古代文明の一つがエジプトに生まれたのは、ナイル川の「氾濫《はんらん》」のおかげです。川の「氾濫」というと、日本では「突然の洪水」というイメージがありますが、ナイル川の氾濫は、それとはまったく様子が違います。ナイル川の氾濫は、水かさがじょじょに増し、平地に静かに溢《あふ》れ出して、農地に徐々にしみ渡っていくというイメージのものです。毎年、決まった時期に起きることであり、家屋はもともと安全な場所に建っているので、大きな被害を受けることはありません。むしろ、氾濫は、肥沃な土壌という恩恵を運んでくれたのです。

古代エジプトの人々は、その豊かな土地で農耕をはじめます。小麦、大麦、豆類など、さまざまな作物をつくるうち、村落が生まれ、国家へ発展し、文明が生まれました。それが「エジプトはナイルの賜物」といわれるゆえんです。

そして、紀元前3200年頃、下《しも》エジプト王国と上《かみ》エジプト王国の二つの王国が成立し、紀元前3000年頃、上下エジプトは統一、ファラオ（王）が巨大な権力を握るようになりました。ピラミッドがつくられはじめるのも、その頃のことです。

ファラオは、神の意思を人間に伝える最高位の神官として、あるいは神の化身として、一種の「神権政治」を行いました。

その後、メソポタミアでは、支配民族が次から次へと変わりますが、エジプトでは「長期安定政権」が続きました。紀元前３２００年頃から、紀元前３００年頃までの29世紀もの間、王朝の交代こそあったものの、異民族の大規模侵略を受けることもなく、安定した文明が続きました。

モーセの十戒

歴史上、どんな場面で授けられたのか

モーセは、紀元前13世紀のイスラエル民族の指導者。神がそのモーセに授けたとされるのが、いわゆる「モーセの十戒」です。

なお、以前は「モーゼ」と書き表すことが多かったのですが、近年、辞書などは「モーセ」を見出し語にすることが増えています。ただし、まだ定まっているわけではなく、「モーゼ」でも間違いではありません。一方、「十戒」は「じゅっかい」ではなく、「じっかい」と読み、厳密にいうと「じゅっかい」は間違いになります。

さて、エジプト文明が全盛期を迎えていた紀元前２０００～１５００年頃、東隣のパレスチナ地方では、ヘブライ人（ユダヤ人）が暮らしていました。その一部はエジプトに連行され、奴隷としての暮らしを余儀なくされていました。

やがて、彼らは、指導者モーセに従って、エジプトを脱出（出《しゅつ》エジプト）、故郷のパレスチナを目指します。その途中、モーセが唯一神ヤハウェの啓示として授かったのが、この「十戒」です。

「モーセの十戒」は、後にユダヤ教、キリスト教の根本原理となっていきます。

そして、ヘブライ人は脱出に成功後、カナンの地（パレスチナ）に至り、紀元前１０１２年頃、エルサレムを首都とする王国を建てます。

王国は、ダヴィデ王とその息子のソロモン王の時代に栄えますが、ソロモン王の死後、内紛から北のイスラエル王国と南のユダ王国に分裂します。

その後、北のイスラエル王国は紀元前８世紀、アッシリア帝国に滅ぼされ、南のユダ王国も紀元前６世紀、新バビロニアに滅ぼされます。

さらに、後者のユダ王国の民がバビロンに連行され、奴隷にされるという悲劇が起きます。それが、いわゆる「バビロン捕囚」です。その状態は、紀元前538年、新バビロニアがアケメネス朝ペルシアに滅ぼされるまで続きます。

以上のようなヘブライ人の苦難の歴史から生まれたのが、ユダヤ教です。神をヤハウェだけとする世界最古の一神教です。それが、同じく一神教であるキリスト教、イスラム教へと発展していきます。

バベルの塔

「創世記」に登場する伝説の塔にくすぶる実在説

「バベルの塔」というと、比喩的には、実現可能性のない大きすぎる計画を指す言葉。もともとは、『旧約聖書』「創世記」11章に登場する塔の名です。ノアの大洪水のあと、ノアの子孫であるニムロデが、バビロニア帝国の首都バビロンに建てようとしたと伝わります。

それによると、まだすべての地で同じ言葉が話されていた頃、バビロニア人たちが、天まで届くようなレンガ造りの塔を建てはじめました。神は、その行為に怒り、人々の言葉が互いに通じないようにして混乱させ、建設を中止させたと伝わります。

この伝説をあくまで伝説とみる研究者が多いなか、「バベルの塔は実在した」という説もあります。その説によると、バベルの塔とは、新バビロニア帝国のネブカドネザル王によって再建された「ジッグラト」（高い所という意）のことだといいます。高さ90メートルの7層の塔で、最上階に神殿があったと伝わります。

実際、古代メソポタミアでは、日干しレンガを用いて、塔を建て、天と地をつなぐ場として宗教行事を行っていたことはわかっています。ただ、それでも、ジッグラト＝バベルの塔と考える人は、ほとんどいないのが現状です。

ハドリアヌスの壁

イギリス史のはじまりとなった「壁」

古代のイギリス（ブリテン島）を代表する遺跡といえば、ストーンヘンジなどの巨石建造物です。紀元前２８００年から紀元前１１００年ごろまで、数次に分かれて建設されました。ただ、何のために築かれたかは、今も謎のままです。

誰がつくったかも、よくわかっていませんが、西フランスや地中海沿岸にも、巨石建造物があるので、ヨーロッパ大陸で巨石文化を築いた民がブリテン島に渡り、その文化を伝えたという説が、有力とされています。

その巨石文化の伝播に何らかの役割を果したとみられるのが、ビーカ人です。彼らは、紀元前２２００年から紀元前２０００年頃、ブリテン島に渡来しました。なお、「ビーカ人」という名は、彼らが埋葬した副葬品に、化学実験で使うビーカーのような口広の土器があるところから、名づけられました。

というように、ブリテン島の古代のありようは茫漠《はんと》としているのですが、その「歴史」がはっきりとわかるのは、古代ローマの版図に入ってからのことです。

古代ローマ帝国は、地中海世界の覇者となると、ガリア地方（おもに今のフランス）の征服に力をそそぎ、紀元前1世紀、カエサルがガリアをおさえました。すると、ガリアの反ローマ勢力（後のブリトン人）は、ブリテン島に拠点を移します。カエサルはブリテン島遠征を試みますが、彼の時代には、ブリトン人を打ち破ることはできませんでした。

ローマが本格的にブリテン島制圧に乗り出すのは、カエサルの時代から約1世紀後のことです。紀元43年、皇帝クラウディウスがブリテン島に侵攻、拠点を築きます。その半世紀後には、ローマはブリテン島の大半を支配し、属州としました。そこから、5世紀頃までを「ローマン・ブリテン時代」と呼びます。

その間、ローマに対し、最後まで抵抗したのは、ブリテン島の北部、今のスコットランドを拠点にしていたピクト人です。ローマの五賢帝の一人、ハドリアヌスは122年、ピクト人の襲来に備えて、全長116キロにおよぶ「ハドリアヌスの壁」を築きます。

その壁には、1マイル（1・6キロ）ごとに監視所が設けられ、重要地点に15か所の要塞が設けられました。その壁が、後にイングランドとスコットランドを分ける境界線になります。

ローマの属州時代、ブリテン島では平和が保たれていましたが、4世紀末、ローマが衰え、ローマ軍が次々と引き上げると、ハドリアヌスの壁はピクト人によって破られました。以後、ブリテン島では、一時的にピクト人を含めたケルト系の民族が自立しはじめます。

しかし、その直後、ゲルマン民族の大移動がはじまり、ブリテン島にも同民族が押し寄せてきます。同島の歴史は、また混沌状態に陥るのです。

トロイの木馬

誰が誰に仕掛けたどんな作戦だった？

ここからは、古代ギリシア史をめぐるキーワードを軸にお話をすすめていきましょう。

「トロイの木馬」というと、現代でも、内部に潜入して破壊工作を行う者という比喩や、コンピューター内部に侵入するウイルス名などに使われる言葉。もともとは、ギリシア神話のトロイ戦争におけるギリシア軍の「作戦」を表す言葉です。それは、どんな作戦だったのでしょうか？

ホメロス作と伝わる長編の叙事詩『オデュッセイア』などによると、おおむね、次のような話になります。

まず、トロイ戦争は、トロイの王子パリスが、ギリシアのスパルタを訪れた際、スパルタ王妃の絶世の美女ヘレンを誘惑し、連れ帰ったことをきっかけとしてはじまった戦いでした。ギリシアの王侯たちは10万の遠征軍を組織し、トロイへ進軍します。

しかし、トロイの守りは堅く、10年間にわたって包囲しても、陥落しません。そこで、ギリシア軍は巨大な木馬を作り、その中に兵をひそませて、浜に置き去りにし、残りの軍は海上の船へ引き上げたのです。

トロイ側は翌朝、ギリシア軍の陣地が空になっていることに気づき、そして残された巨大な木馬に、「帰途の安全を願う」という意味の銘が施されていたことから、ギリシア軍が撤退したと判断します。そして、勝利の雄叫びを上げながら、巨大木馬を戦利品として城内に引き入れたのです。

その夜、城内では祝宴が開かれ、兵士たちは美酒に酔っぱらいます。その隙を見て、木馬の中からギリシア軍の精鋭が飛び出し、海上で待機する仲間に合図を送り、城門を開けました。難攻不落を誇ったトロイも、城の内外から攻撃されると、あっけなく陥落。こうして、10年におよんだトロイ戦争は幕を閉じたのでした。

難攻不落を誇ったトロイは、あっけなく陥落した

オストラキスモス

アテネの民主政治を生んだ陶片のかけらの使い方

トロイ戦争は紀元前1250年頃のこととみられるのですが、古代ギリシアで「ポリス」と呼ばれる都市国家が建設されるのは、それから500年ほど下った紀元前8世紀頃からのことです。

ポリスは、最盛期には、さして広くはないギリシア世界に約200もあったとみられます。ポリスの人々は、ゆるやかな同胞意識を持ちながらも、一つの国家にまとまることはなく、ポリス全体の王はいませんでした。

そんなポリスのなかでも、最も有力だったのは、アテネです。そのアテネの特徴は、人類史上初の「民主政治」が発達したことです。

アテネの民主政治の基礎を固めたのは、クレイステネスという政治家でした。彼は、「オストラキスモス」（陶片追放）という秘密投票制度を設け、独裁的な政治家が現れそうになると、陶器のかけらを使ったこの投票によって、その政治家を追放し、独裁者の出現を防ぐという制度を設けたのです。

オストラキスモスという言葉は、古代ギリシア語で、陶片を「オストラコン」と呼んだことに由来します。かつて、日本では「貝殻追放」と呼ばれたこともありますが、それは誤訳です。また、「オストラシズム」という言葉もありますが、それは英語由来。今はなるべく現地の言葉を使うという方針から、ギリシア語由来の「オストラキスモス」が辞書の見出し語や教科書で使われています。

アテネの全盛期は、紀元前492年から3回にわたるペルシア戦争を勝ち抜いた頃。その勝利はアテネに繁栄をもたらし、パルテノン神殿などが建設されました。

しかし、そうしたアテネの繁栄に危機感をつのらせたのが、有力ポリスのスパルタでした。スパルタは、アテネ中心の「デロス同盟」に対して、他のポリスを集めて「ペロポネソス同盟」を結び、対抗します。そして、両者の対立は紀元前431年、ギリシア人同士が戦う「ペロポネソス戦争」へと発展しました。

当初、戦いはアテネ優位で進みますが、エジプトからもたらされたペストとみられる伝染病が蔓延し、アテネは戦力を失います。同盟国も離れていき、紀元前404年、降伏に追いこまれました。

しかし、勝利したスパルタの繁栄も、長くは続きませんでした。他の有力ポリスがスパルタに続々と戦争を仕掛けるなど、ポリス間の戦いに疲弊しきったからです。そうして、アテネとスパルタという有力ポリスが力を失うなか、後述する「マケドニア王国」が北方で勢力を伸ばしていました。

悪法もまた法なり

ソクラテスを死刑にした〝時代の空気〟とは?

古代ギリシアを代表する哲学者ソクラテスは、紀元前399年、裁判で死刑宣告を受けます。そして判決に従い、毒ニンジンを食べ、息を引き取りました。なぜ、哲学者が死刑宣告を受けるようなことになったのでしょうか?

当時のアテネは、衰退の一途をたどっていました。その原因は、前項で述べたスパルタとの戦争です。スパルタとの30年近い戦いに敗れ、アテネはボロボロの状態になっていたのです。そんななか、ソクラテスは青年たちを元気づけ、改革に立ち上がるように説いてまわっていたのです。

むろん、守旧派は、ソクラテスのそうした行動を快くは思いません。守旧派は、「ソクラテスは、アテネの神々とは異なる神々を信じ、青年たちを惑わしている」と、今でいうフェイクニュースを流し、裁判にかけて死刑を求めたのです。

ソクラテスは反論し、無罪を主張しますが、守旧派の息のかかった裁判官によって死刑判決が出たのです。ソクラテスは、教え子らから亡命することをすすめられますが、「悪法もまた法なり」と語って断ったと伝えられます。ソクラテスの言葉は、「たとえ悪法であっても、法は法なのだから、従わなければならない」という意味。そして彼は判決に従い、自死する道を選んだのでした。

その後、アテネはさらに転落の道を歩み、ついに北方で興《おこ》ったマケドニアに飲み込まれることになります。

ファランクス
最初の世界帝国を生んだ無敵の陣形

ギリシア本土で、ポリスが果てのない攻防を繰り返していた頃、北方のマケドニア地方に、王制をとる国が生まれました。マケドニアです。

やがて、マケドニア王国は、アレクサンドロス大王の父のフィリッポス2世の時代に、アテネもスパルタも飲み込んで、ギリシア全土をおさえます。そして、大王の時代に、ヨーロッパから西アジアに至る大帝国を築き上げました。

なお、かつては「アレキサンダー大王」と呼ばれましたが、今は原音に近づけ、「アレクサンドロス大王」、あるいは「アレクサンドロス3世」と呼ぶようになっています。同様に、父王も英語由来のフィリップ2世ではなく、フィリッポス2世と呼びます。

ここで、マケドニアの歴史をふりかえると、後進国だったマケドニアを、強大な国に変えたのは、フィリッポス2世でした。そしてギリシアを統一するのですが、紀元前336年、内紛によって暗殺されてしまいます。

そのとき、王位を継いだのが、当時20歳だった後のアレクサンドロス大王です。彼は、子供の頃から、哲学者アリストテレスに学び、文武両道に優れた王でした。

大王は、まずアケメネス朝ペルシアのダレイオス3世を相手に、イッソスの戦いで勝利をおさめます。そして追撃、ガウガメラの戦いで勝利し、ペルシアを滅ぼします。

その後、大王は、インド北西部のパンジャーブ地方にまで遠征、東西にわたる大帝国を築き上げました。即位してから10年足らず、20代の若さでの壮挙でした。

マケドニア軍の強さの背景には、「マケドニアのファランクス」という無敵の戦法がありました。「ファランクス」とは、古代ギリシアにおける戦闘隊形を意味し、「ギリシア方陣」や「密集方陣」と訳されます。長槍と盾で武装した歩兵が密集する隊形です。それを改良し、無敵の陣形にまで磨き上げたのが、「マケドニアのファランクス」なのです。

その基礎をつくったのは、父王のフィリッポス2世でした。彼は人質として、ポリスの一つテーベに滞在している間、名将として知られたエパミノンダスの戦術を研究。帰国後、祖国の陣立てを改良します。

改良した布陣は、歩兵を16列の横隊に並べ、その左翼に重装歩兵、中央と右翼に、騎兵と軽歩兵を配置するものでした。歩兵らは、長槍を持ち、密集陣形をとっていました。多人数が一団となって長槍で攻撃してくれば、敵は後退せざるをえません。敵を後退させながら、左右と中央の部隊が連携して敵を叩くという戦法が、無敵の最強部隊を生み出したのです。

アレクサンドロス大王は、この父親の編み出した陣形と戦法に修正を加えて連戦連勝、大帝国を築きあげたのでした。

しかし、紀元前323年、大王は、33歳という若さで原因不明の高熱のため急死します。

残された帝国は混乱し、複数の自称後継者たちが領土をめぐって争う事態になりました。そうして、大王が築いた巨大帝国は、アンティゴノス朝マケドニア、セレウコス朝シリア、プトレマイオス朝エジプトの3国に分裂しました。そのうちのプトレマイオス朝に、後にクレオパトラ7世が生まれることになります。

Chapter2　古代〈ローマ〉

天才軍略家「ハンニバル」は、なぜ〝アルプス越え〟を選んだのか

ロムルスとレムス

狼に育てられた双子からはじまるローマ建国神話

さて、話は、古代ローマに移ります。まずは、その「建国神話」から、ふりかえってみましょう。

伝説によると、イタリア半島の町は、前章で述べたトロイ戦争の余波から生まれたといわれます。「トロイの木馬」作戦によって陥落したトロイから、生き残った人々が船で脱出。地中海をさまよった末、イタリアの地にたどり着き、新しい町を建設したというのです。

それから時が過ぎ、トロイ人の国の第12代の王が、兄の第11代王を追い出し、王位を奪い取ります。その後、先王（兄）の娘が双子の男の子を産むと、王（弟）は兄の孫に当たる双子の成長を恐れ、ティベリス河に捨てさせます。しかし、双子は河岸に流れ着き、なんとメスのオオカミが助け、乳を含ませ、育てあげます。

その双子の兄弟が、ローマの祖となるロムルスとレムスです。

彼らは成長すると、祖父の仇である王を倒して王位を奪取、ティベリス河畔に新しい都市、ローマを作ります。それが紀元前753年のことで、ローマという名はロムルスの名に由来すると伝わります。

以上のような伝説が、どこまで事実を伝えているかは定かではありませんが、紀元前8世紀頃、ローマの地に小国家が生まれ、その後、支配領域を広げていったことは確かです。そして、5代目の王の頃、イタリア半島の中央部を制圧します。

そして、紀元前509年、王政が廃止され、貴族中心の政治ではありながら、平民の権利も認める独自の共和政の基礎が整いました。

そして、ローマは紀元前3世紀、イタリア半島を統一。当時地中海の覇者だったカルタゴと、3次にわたる「ポエニ戦争」を戦うことになります。

カルタゴは、現在のチュニジアの首都チュニス近郊にあって、地中海交易で発展した都市国家でした。「ポエニ」とは、ローマ人がカルタゴを呼んでいた名です。

両者の間では、紀元前264年、第一次ポエニ戦争が勃発。この戦いは20年以上におよび、紀元前241年、ローマに有利な和睦が成立します。ローマは、賠償金を受け取るとともに、シチリアを領有し、海外属州を持つことに成功しました。

しかし、その約20年後、ローマは大きな脅威にさらされます。カルタゴに名将ハンニバルが現れたのです。

ハンニバル
天才軍略家は、なぜ〝アルプス越え〟を選んだのか

第一次ポエニ戦争の結果、カルタゴは、シチリア島を奪われ、地中海の制海権を制限されることになりました。

そこで、カルタゴは、イベリア半島のヒスパニア（今のスペイン）の植民地化を進めます。その中心となったのがハミルカル・バルカで、彼の死後は、息子のハンニバル・バルカが継ぎます。彼が、後にアルプスを越え、ローマに攻め込んだ名将ハンニバルです。

ハンニバルという名は、「バアル（神の名）の恵み」を意味すると見られます。

ハンニバルは紀元前219年、イベリア半島内のローマの同盟都市を攻撃します。これに対し、ローマはカルタゴに宣戦を布告、第二次ポエニ戦争がはじまりま

ハンニバルのアルプス越え

した。カルタゴ本国は、地中海をはさんでイタリア半島の向かい側にあったので、ローマはイタリア半島の地中海に面する地域の守備を固めます。

一方、ハンニバルは、そもそも地中海からの侵攻は不可能と考え、アルプスを越え、北方から侵攻することをもくろんでいました。そして、イベリア半島を北上、ガリア南部（今のフランス）を通過し、アルプスを越えてイタリアへ侵攻しました。むろん、その行軍は困難を極めましたが、ハンニバルは2万6000人の兵士とともに北イタリアへ到着します。

ローマの元老院は、執政官のスキピオに30万の兵を与えて出撃させます。紀元前218年11月、両者はティキニス川付近で激突。ハンニバル軍がローマ軍を一蹴します。その大勝利で、ハンニバルの名声は高まり、北イタリアの部族が次々とハンニバルに合流します。彼らが加わることで、ハンニバル軍は5万にまでふくれあがりました。

紀元前216年には、ハンニバル軍は、ローマ軍とカンナエで激突。この戦いもハンニバルの圧勝に終わりました。

この戦いでハンニバルが採用したのは、騎兵の活用による包囲戦術でした。軍の両翼に騎兵を置き、その機動力を生かして、ローマ軍団を包むように四方から攻め、殲滅したのです。

しかし、その後は、ローマ側もハンニバルの戦術を学習し、それを逆用して紀元前２０２年、北アフリカのザマで、ハンニバル軍に勝利します。それが、ローマが地中海最強国家の座を不動のものにした瞬間でした。

その後、ハンニバルは小アジア方面に逃れますが、追い詰められ、自殺します。カルタゴはその後、第三次戦争にも敗れ、紀元前１４６年、滅亡しました。

スパルタクスの乱

古代ローマ最大の「奴隷の反乱」

ハンニバルに次いで、ローマを揺るがしたのは、スパルタクスという奴隷でした。紀元前73～71年にかけての反乱の首領となった剣闘士奴隷です。その「スパルタクスの乱」は、古代ローマ最大の「奴隷」の反乱でした。

なお、以前は英語由来の「スパルタカス」がよく使われ、映画のタイトルも『スパルタカス』でした。近年は、なるべく原音に近い表記を使うようになって、辞書やメディアでは、「スパルタクス」を使うようになっています。

さて、紀元前3世紀頃までは、ローマの農業はおもに自作農が担っていましたが、繁栄とともに貧富の差が広がり、土地を手放す自作農が増えます。その土地を大貴族や大商人が買い占め、大土地所有者になっていきます。

そして彼らは、その広大な農地を征服地から連れて来た奴隷に耕作させたのです。そうして、ローマは奴隷労働に依存する社会になりました。

その初期、とりわけ奴隷の扱いが非人道的だったため、奴隷たちの反乱が相次ぎました。その反乱のなかで最大規模だったのが、このスパルタクスの乱です。

スパルタクスは、トラキア(現在のトルコ・ギリシア)出身の戦争捕虜だったとみられ、剣闘士養成所で訓練を受けていました。剣闘士養成所は、奴隷や死刑囚らが、見世物としての競技会に参加するために、特別な戦闘訓練を受けた場所です。

紀元前73年、彼は80人ほどの他の奴隷とともに、集団脱走します。その養成所があったカンパニア地方は農業地帯であり、農場でも多数の奴隷が酷使されていました。そうした農場奴隷もスパルタクスの集団に加わり、彼らはヴェスビオ山のカルデラに立てこもりました。

そこで、彼らは、ローマが派遣してきた鎮圧部隊に圧勝します。すると、さらに多くの奴隷が集まり、その数は7万にもふくれあがりました。彼らはヴェスビオから出撃し、イタリア半島を北上、アルプス越えを目指します。奴隷には、アルプス以北から連行されて来た者が多かったのです。

スパルタクスは奴隷たちをよくまとめ、各地でローマ軍を撃破。略奪と戦闘を繰り返しながら、アルプスの麓までたどりつきます。しかし、結局、アルプスを越えることはできませんでした。女性や子供を多数引き連れていたため、アルプス越えは無理と判断したといわれます。

スパルタクスは再び南下し、南イタリアを制圧、その後、シチリア島へ向かおうとします。しかし、紀元前72年末、イタリア半島南端のカラブリアで、ローマの軍団に包囲され、スパルタクスは戦死し、残党軍もその後、壊滅させられました。

スパルタクス軍の生き残りの兵6000人には、残酷な処刑が待っていました。彼らは、ローマからカプアまでのアッピア街道沿いに磔《はりつけ》にされ、奴隷が反乱を起こすと、どのような運命が待っているか、見せしめとされたのです。

賽は投げられた

カエサルの名セリフは、どんな場面で生まれた？

「賽は投げられた」は、数あるユリウス・カエサルの言葉のなかでも、極めつけの名セリフでしょう。「もはや引き返すことはできない。行くしかない」というほどの意味です。ここで、彼がこのセリフを吐くに至るまでのローマ史をふりかえってみましょう。

ローマは、スパルタクスの乱をようやく鎮圧したものの、その後も政治的・軍事的に不安定な時期が続いていました。その混乱期に登場したのが、カエサルです。

彼は、かつては「ジュリアス・シーザー」と呼ばれていましたが、それも英語由来の名。今は、古代ラテン語の原音に近い「ユリウス・カエサル」が使われています。なお、シェイクスピアの戯曲は、そもそも英語で書かれていることもあって、そのタイトルは今も『ジュリアス・シーザー』です。

カエサルは当初、他の実力者と並び立つ「三頭政治」を行っていましたが、やがて三頭政治の執政官として、自らを任期5年のガリア総督に任命します。彼には、ガリア遠征軍の指揮権を握れば、その軍事力を背景に、ガリア地方だけでなく、イタリア全土の支配者になれるという目算がありました。

カエサルは、ガリアを制圧すると、ガリア全土に対して「各部族は、以後、カエサルの指揮下に統一すべし」と宣言します。そして、ゲルマニアへも侵攻。さらにはローマ人としては初めてドーバー海峡を渡り、ブリタニア（現イングランド）へも進出しました。こうして、ヨーロッパの広大な地域を制圧し、軍事的にも経済的にも実力を蓄えました。

元老院は、そうしたカエサルの力を警戒し、カエサルに対して召還命令を出します。カエサルは命に従って、イタリア本国との境であるルビコン川まで帰ってきました。当時、その川を越え、イタリアの領土に入るには、軍隊を解散しなければならなかったのですが、丸腰でローマに入れば、カエサルは反対派に捕らえられるか、命を奪われるおそれがありました。そこで、カエサルは、三頭政治のライバルだったポンペイウスらとの決戦を決意し、自軍に対して、例のセリフを吐きます。

「さあ行こう。神々の示す方角へ。賽は投げられた」

そして、カエサルは、ルビコン川を越えて、ローマへ軍を進め、翌年、ファルサロスの会戦で、ポンペイウスを撃破します。その後、ポンペイウスがエジプトへ逃れたため、カエサルはポンペイウスを追ってエジプトに向かいます。

カエサルがエジプトに到着したとき、ポンペイウスはすでに暗殺されていましたが、その地で彼は運命の女性と出会います。クレオパトラです。

ブルータス、お前もか
本当は「即死」していたカエサル

カエサルは、エジプト遠征で、プトレマイオス朝エジプトの最後の女王、クレオパトラ（7世）と出会います。当時、クレオパトラは20歳。異母弟であるプトレマイオス13世と結婚し、共同統治者となっていました。しかし、夫との仲は険悪で、その地位は危ういものになっていました。

そこで、クレオパトラは、カエサルの力を利用しようと、彼に接近します。監視の目をくぐり抜けるため、絨毯の中に自らの体を巻き込ませ、カエサルの部屋に忍び込んだと伝えられます。

カエサルは、クレオパトラに魅了され、2人は政治的にも個人的にも密接な関係を持つようになります。クレオパトラは、カエサルの仲介によって、エジプトの共同統治者の座を維持し、その後、夫を倒して単独女王の座に就きました。

その後、カエサルは、小アジア、北アフリカ、スペインへと転戦し、敵対勢力を一掃。紀元前45年には、終身独裁官に就任し、事実上の独裁政治をスタートさせます。しかし、それも束の間、翌年、カエサルは暗殺されます。カエサルの独裁に危惧を感じた元老院議員らがカエサル暗殺計画を進めていたのです。

3月15日、カエサルは元老院会議へ出席します。議場の扉を開けたとたん、10人ほどの者に囲まれ、短剣でめった刺しにされました。全身23か所も刺されていたと伝えられます。カエサル、56歳のときのことでした。

その暗殺グループに、親友のブルータスが加わっていることを見て、カエサルは「ブルータス、お前もか」と叫んだと伝えられます。

ブルータスは、温厚な共和主義者として知られ、カエサルとポンペイウスの戦いでは、ポンペイウス側で戦い、敗れましたが、カエサルに助命されたという経緯がありました。以後も、ブルータスはカエサルに目をかけられていたのですが、それでも彼は暗殺グループに参加したのです。その動機は、共和制を存続させるためだったとも、自らの権力を拡大するためだったともいわれます。

なお、カエサルが叫んだという「ブルータス、お前もか」という言葉は、シェイクスピアの戯曲『ジュリアス・シーザー』の中のセリフ。じっさいには、カエサルは即死状態だったとみられます。

カエサル亡きあと、クレオパトラは、第二次三頭政治の一角をしめていたアントニウスと親密になります。その後、アントニウスは、後に初代ローマ皇帝となるオクタヴィアヌスと対立、その戦いに敗れます。アントニウスとクレオパトラは自殺、エジプト王国はその長い歴史に終止符を打って、ローマの支配下に入りました。

ローマの大火
ネロを暴君にした「ある噂」

オクタヴィアヌスは、アントニウスとクレオパトラを破った後、紀元前27年、ローマ帝国・初代皇帝の座に就きます。彼はアウグストゥス（尊厳者）の称号を与えられ、皇帝でありながら、共和制の伝統を尊重した政治を行いました。

それから約80年後、カエサル暗殺から数えると約1世紀後、いわゆる「暴君ネロ」（在位紀元54～68）が統治する時代を迎えました。

その在位中の64年、ローマの街はいわゆる「ローマの大火」によって丸焼けになります。ローマ市街は9日間も燃えつづけ、その3分の2が焼け落ちました。

その間、「ネロは竪琴《たてごと》をつまびきながら、大火を眺めていた」という話がありますが、それはあくまで伝説。大火が発生したとき、ネロはローマにいなかったという説が有力です。

そしてネロは、大火発生の知らせを受けると、すぐにローマに立ち戻り、陣頭指揮をとり、被災者に食糧を提供するなど、市民の救済に取り組みました。彼はローマ再建にも積極的に取り組み、2年ほどでローマを復興します。そこまでのネロは、なかなか立派な皇帝だったといえます。

しかし、再建中、大火によってできた空き地に、自らの宮殿を建てようとしたことが問題でした。それが市民たちの疑惑を招き、「ネロが、自分の宮殿を建てるため、火をつけたのではないか」という噂が流れはじめたのです。「ネロはローマ大火のとき、竪琴を奏でていた」という例の噂も、その頃、流れたものです。

ネロは、市民の反発に気づき、大火の犯人が自分ではないことを証明するため、当時、新興宗教だったキリスト教徒をスケープゴートにします。キリスト教徒に責任をなすりつけ、処刑しはじめたのです。しかし、それも裏目に出て、そんな振舞いをするのは、かえって怪しいと、ネロに対する疑惑がさらに高まりました。

そして、ネロは頼みの綱だった軍隊にも見限られます。68年、ガリア総督のヴィンテグスが反旗を翻し、帝国内にネロを守る勢力はいなくなりました。紀元68年、ネロは自殺しようとしますが失敗、奴隷に刀で突き刺されて絶命しました。31歳のときのことでした。

パクス・ロマーナ

「ローマが最も繁栄した歴史に残らない時代」

オクタヴィアヌス以後の約2世紀、ネロのような暴君がときおり現れたものの、ローマは基本的には繁栄し、戦いも少なく、「パクス・ロマーナ（ローマの平和）」と呼ばれる安定と繁栄の時代を築きます。「パクス」とは、ローマ神話に登場する平和と秩序の女神の名です。

この「パクス・〇〇」という言葉は、その後の世界史に何度か登場します。「パクス・ブリタニカ」（大英帝国による平和）、「パクス・アメリカーナ」（アメリカによる平和）、「パクス・モンゴリカ」（モンゴル帝国による平和）、「パクス・オトマニカ」（オスマン帝国による平和）という具合です。

そのもととなったローマ史の繁栄期のなかでも、全盛期といえるのは、いわゆる「五賢帝時代」です。96年から180年までの85年間の、5人の「賢帝」が統治していた時代が、ローマの最盛期でした。

「五賢帝」とは、ネルウァ（在位96〜98）、トラヤヌス（同98〜117）、ハドリアヌス（同117〜138）、アントニヌス・ピウス（同138〜161）、そしてマルクス・アウレリウス（同161〜180）の5代の優秀な皇帝を指します。

彼らに親子関係はなく（血縁は多少あります）、その時代の最も優秀な人物を「養子にする」ことで皇位を継承するという方法で、繁栄期を実現したのです。彼らの治世をふりかえってみます。

一人目のネルウァはベテランの政治家で、66歳（61歳とする説もあります）のとき、元老院に推されて、皇帝の座に就きました。彼の在位期間は1年4か月ほどでしたが、手堅い政治技術で、逼迫《ひっぱく》していた財政を健全化。貧農への土地配分や水道網の整備などの事業を行いました。

ネルウァから後継者指名を受けたのが、トラヤヌスです。彼はスペインの出身で、属州の出身者として、初めて皇位に就いた人物です。

軍人出身だった彼は、各地に遠征、東はメソポタミア、西はイベリア半島、北はブリテン島南部、南は北アフリカにおよぶ版図を築きあげました。ローマ帝国の領域が最大になったのは、この時代のことです。当時の領土は、地中海を取り囲むように広がっていたので、ローマ人は地中海のことを「われらの湖」と呼びました。

トラヤヌスのあとは、彼の親戚のハドリアヌスが継ぎました。前述の「ハドリアヌスの壁」を築いた皇帝です。彼は在位21年間の大半をかけて、属州の視察に駆けめぐったので、「旅する皇帝」と呼ばれます。

そのあとは、ハドリアヌスの養子になっていたアントニヌス・ピウスが継ぎました。彼が治めた23年間はあまりに平和だったため、彼は別名「歴史のない皇帝」と呼ばれます。特筆するような事件がまったくないほど、平和な時代だったのです。

そして、五賢帝の最後がピウスの養子のマルクス・アウレリウスです。彼は、ルキウス・ウェルスと共同統治を行いますが、実質的には主導権を握っていました。

五賢帝時代の慣習では、前述したように「実子に帝位を譲るのではなく、その時代の最良の人物を選び、養子にして後継者とする」ことになっていたのですが、マルクス・アウレリウスはその先例を破り、実の息子のコンモドウスを後継に指名します。こうして、五賢帝時代は終わりを迎えました。

なお、コンモドウスは自ら剣闘士として戦い、映画『グラディエーター』のモデルにもなった暗愚の皇帝でした。

すべての道はローマに通ず

「ローマ道」が張り巡らされた本当の目的

ローマ帝国の領土には、いわゆる「ローマ道」が張りめぐらされていました。その道は、属州からローマへ税や穀物を運び、ローマからは属州・辺境へ軍を運ぶためのものでした。

そのため、「すべての道はローマに通ず」といわれるように、大半の道はローマと属州をつないでいました。記録によれば、３３０年頃には３７２本の道路があり、その全長は８万５０００キロ、地球2周分以上におよんでいました。

ただ、「すべての道はローマに通ず」というフレーズが、ローマ時代から使われていたわけでなく、この言葉を作ったのは、17世紀のフランスの詩人、ラ・フォンテーヌとみられます。彼は、「出発点や手段は違っていても、いずれは同じ目標、結論に達すること」のたとえとして、この言葉を使いました。

さて、その長大な道路は、基本的にはローマ軍によって建設されました。ローマは、軍を遠征させるとき、道路建設のための部隊を同行させました。そして、勝利をおさめると、占領地とローマを結ぶ道路建設に当たらせたのです。

戦勝のたび、新道路を建設するのは、むろん軍隊が通行するためであり、税や物資をローマへ運ぶためでもありました。

加えて、道路建設は、失業対策事業の性格も併せ持っていました。ローマ政府は、辺境の兵士たちの反乱をたえず警戒していました。そこで、兵士たちに安定した仕事と報酬を与えるため、道路建設を続けたのです。

三世紀の危機

軍人皇帝の時代に訪れた「危機」とは？

2世紀末までの「五賢帝時代」が終わり、3世紀に入ると、ローマの政治は大混乱に陥ります。235年からの約半世紀の間に、26人もの皇帝が即位しては廃されることになったのです。その時期を「三世紀の危機」と呼びます。

厳密にいうと、235年からの半世紀で、正式に皇帝になった者は18人。共同統治者を加えると、26人にのぼるのです。そのほか、自称と判定される者を含めると、40人を超えます。

その時期、皇帝の座に就いた者の多くは、成り上がりの軍人たちでした。一兵卒からのし上がった軍人が、皇帝位を狙える「下克上」の時代だったのです。

しかし、皇帝となった彼らの大半は、悲惨な末路をたどりました。ここでは、最初の軍人皇帝となったマクシミヌス・トラクスを例にとってみましょう。

彼は、もともとトラキア地方の牧童でしたが、ローマ軍に入隊し、兵卒から下士官、将校へと出世します。やがて軍の実権を握り、その力をバックにして、皇帝の座に登りつめたのです。彼の名の「トラクス」とは、トラキア出身の男という意味です。しかし、彼は帝位に就いたあと、軍の期待に応えられず、親衛隊によって殺されてしまいます。

このような例は多く、トラクスに代わって、共同皇帝として推挙されたプピエヌスとバルビヌスも、1年もたたないうちに、親衛隊によって暗殺されています。

要するに、軍人皇帝らは、武力をバックに帝位に就くのですが、その後、軍にとって邪魔な存在とみなされると、すぐさま暗殺されたのです。

しかし、そんな「三世紀の危機」にあっても、20年間にわたって帝位を守り、ローマに最後の安定期をもたらした皇帝が現れました。ディオクレティアヌスです。

彼は、そもそもは奴隷の息子でした。ただ、彼の父は肉体労働をしていたわけではなく、主人の秘書のような役割を果たし、後に奴隷から解放されています。

ディオクレティアヌスは軍隊に入ると、一兵卒から親衛隊長官にまでのし上がります。そして284年、ディオクレティアヌス帝として即位。元老院を形骸化させ、独裁的な権力を握ります。

そして、彼は画期的な政策を実行に移します。ローマ帝国を東西に分け、それぞれに皇帝と副帝を置いたのです。彼は、ローマ帝国は、一人の皇帝が治めるには、広くなりすぎたと考えたのです。この四分割統治により、争いの絶えなかったペルシアやガリア方面も、一時的にせよ、安定を取り戻すことになりました。

ギリシアの火

ビザンツ帝国防衛の切り札を担った謎の兵器

しかし、ディオクレティアヌスの分割統治策は、結局、ローマ帝国の東西分裂を招きます。395年、ローマ帝国はコンスタンティノープルを首都とする東ローマ帝国と、ローマを首都とする西ローマ帝国に分裂しました。

その後、西ローマ帝国は、ゲルマン人の侵攻の前に滅びますが、東ローマ帝国はそれから1000年以上も存続します。

同帝国は東方にあったため、長期間にわたって、ササン朝ペルシアやムスリム帝国と戦うことになったのですが、10世紀以上も存続できた理由の一つは、その秘密兵器にあったといわれます。「ギリシアの火」と呼ばれる謎の兵器です。

「ギリシアの火」は、火力を用いる兵器だったようです。672年から677年にかけて、コンスタンティノープルが、イスラム勢力のウマイヤ朝に海上封鎖された際には、東ローマ艦隊が「ギリシアの火」を発射し、ウマイヤ朝艦隊を退けたと伝えられます。

717年、やはりウマイヤ朝艦隊に包囲されたときも、やはりギリシアの火によって撃退したと伝わります。

さらに941年には、キエフ大公国から派兵された1000隻の艦隊を全滅させたと記録にあり、1099年にはピサの海軍を打ち負かしています。

「ギリシアの火」の製法は門外不出で、その詳細は今もわかっていません。その炎は、水をかけるとさらに広がり、砂でしか消せなかったと伝わります。研究者には、硫黄やコールタール、硝石、石油、松脂などを混ぜてつくった火薬と考える人もいます。

ゲルマン民族の大移動

なぜ西ローマ帝国を滅ぼすほど移動した？

話は、5世紀に戻ります。西ローマ帝国を滅亡させることになったのが、いわゆる「ゲルマン民族の大移動」です。

ゲルマン民族は、ゲルマン語を話す民族の総称です。紀元前は、ヨーロッパ北方で暮らしていましたが、しだいに南下、紀元後はヨーロッパ中央部に定着し、その勢力範囲はローマ帝国と隣接するようになっていました。

そのゲルマン民族が、4世紀後半から5世紀にかけて、さらに南下します。それが、いわゆる「ゲルマン民族の大移動」です。

その原因は、騎馬民族のフン族が中央アジアからヨーロッパに侵入してきたことでした。フン族は、中央アジアの気候変化によって、牧草を確保できなくなり、西への移動を開始したとみられ、現在のハンガリー地方を中心に、東はカスピ海、西はライン川沿い、北はデンマーク、南はギリシア周辺にまで、勢力を伸ばしました。

ゲルマン民族は、その勢いに押される形で、移動せざるをえなくなり、ローマの領土へ侵入しはじめたのです。以後、西ローマ帝国の領土は食い荒らされ、西ヨーロッパ各地に、ゲルマン人の国が建国されることになりました。

そして、西ローマ帝国は1世紀ほどの間、なんとか命脈を保ったものの、476年、ついに力尽き、滅亡しました。

Chapter3 古代〈中国〉

諸葛孔明が「出師の表」で劉禅にどうしても伝えたかったこと

春秋の五覇／戦国の七雄

戦乱が続くほど、
中国は発展した！

中国の古代文明は、かつては「黄河文明」と呼ばれていました。しかし、現在の教科書の大半は、「中国文明」か「中華文明」と表しています。近年の発掘調査で、中国大陸には、黄河流域だけでなく、長江流域などの他の地域にも、多数の古代文明が存在したことがわかってきたからです。

その「中国文明」のうち、今、存在が確認されている最古の王朝は「殷」です。殷以前にも、「夏」王朝などが存在したといわれますが、まだ完全には実証はされていません。殷は紀元前1600年頃に建てられ、前11世紀頃まで続きました。

その最後の王の紂王《ちゅうおう》は、「酒池肉林」のエピソードで知られます。紂王は、悪女・妲己《だっき》に幻惑され、彼女を悦ばせるため、宮殿に酒の池をつくり、庭園の木々には食肉をかけたと伝わります。

その殷を滅ぼしたのは、「周」です。周王は王朝を開くと、一族を地方の君主とし、彼らに貢納や従軍の義務を負わせるという「封建制度」を始めます。

しかし、時代が移り、周と諸侯の間の血縁関係が薄れると、諸侯は自立し始めます。そうして、周の力は弱まり、周王は実権を失い、中国各地に諸侯が乱立、前8世紀、彼らが相争う「春秋・戦国時代」に突入しました。

まず、春秋時代には、「春秋の五覇」とよばれる有力な諸侯が現れ、覇権を争います。「五覇」の顔ぶれは、斉の桓公・晋の文公・楚の荘王・呉の闔閭《こうりょ》・越の勾践《こうせん》など、いくつかの説があります。

そして、紀元前403年には、有力国家の晋が3国（韓・魏・趙）に分裂して、それぞれのトップが王を名乗るようになりました。それが発端になって、「戦国の七雄」（燕・斉・秦・楚・趙・魏・韓）とよばれる有力国家と王が出現し、中国は「春秋時代」から「戦国時代」へと移ったのです。

そうした乱世が約550年間も続いたのですが、その間、中国社会は大きく発展しました。食料の増産が進み、商業や貿易も活発化しました。「春秋の五覇」や「戦国の七雄」らの富国強兵策が、結果として、中国社会・経済を大きく発展させたのです。

臥《が》薪《しん》嘗《しょう》胆《たん》

この言葉を生んだのは、どんな戦い？

春秋時代の末期、南方では、呉と越が激しく争っていました。呉と越の戦いは、呉王・闔閭の野望から始まりました。闔閭は、呉の大国化を目指しますが、紀元前496年、越王・勾践の軍勢に破れ、その傷がもとで亡くなります。闔閭のあとは、子の夫差《ふさ》が継ぎ、越に対する復讐を誓います。夫差は、つねに薪の上に臥す（臥薪）という苦痛を自らに与え、復讐する気持ちが衰えないようにしました。そして、紀元前494年、夫差は越の軍勢を破り、越王・勾践を会稽山《かいけいさん》に追い込みます。

窮地に陥った勾践が、屈辱的な講和を夫差に願い出ると、夫差は勾践を許し、家臣としました。今度は、その勾践が呉に対する復讐を誓います。つねに胆を嘗《な》め（嘗胆）、その苦さを味わって、復讐心が衰えないようにしたと伝わります。

やがて紀元前473年、勾践は呉軍を破り、夫差を自殺に追い込みます。この一連の争闘劇が「臥薪嘗胆」という四字熟語の語源になりました。

焚書坑儒《ふんしょこうじゅ》

始皇帝は、なぜ儒家を弾圧したのか

春秋時代の末期から戦国時代にかけて、中国では「諸子百家」とよばれる人々が活躍しました。諸子百家の「諸子」は「多数の先生」、「百家」は「さまざまな学説」を意味します。孔子も老子も孫子も、そうした諸子百家の一人です。

戦乱が続く時代に学問が盛んになったのは、激動の時代を生き残るには、いろいろな思想や新しい考え方を必要としたからです。弱肉強食の時代を勝ち抜くには、能力のある人材を集めることが必要です。そこで諸侯は、出身や身分に関係なく、有能な人材を重用するようになったのです。つまり、「諸子百家」の時代は、能力があれば、誰でも出世のチャンスがある時代だったといえます。

こうして、諸子百家は、各国の政治に影響力を持つようになるのですが、そのうち後世に大きな影響を残したのが、孔子の始めた「儒家」でした。戦国時代には、あまり用いられませんでしたが、後世の各王朝の統治の基本原理になったのです。

一方、「法家」は戦国時代の現実にマッチし、秦の全国統一に大きな役割を果たしました。儒家が「徳」による統治を説いたのに対し、法家は「法」という強制力が国を発展させると説いたのです。

その他、無為自然を説いた「道家」、博愛を説いた「墨家」、戦術を唱えた「兵家」、陰陽五行説の「陰陽家」なども、この時代に現れました。

そうした諸子百家、とりわけ、儒家を弾圧したのが、秦の始皇帝です。始皇帝はいわゆる「焚書坑儒」を行い、書を焼き払い、儒者を穴埋めにしました。

「焚書坑儒」の「坑」という漢字には、「あな」という訓読みがあり、「坑儒」とは儒者を生き埋めにするという意味。始皇帝は、もともと儒者に好感を抱いていませんでした。秦には法治主義の伝統があり、儒家の思想は法治主義と相反する点が多かったからです。儒家が体制に口出しするようになると、始皇帝は国禁を犯したとして、儒者468人を生き埋めにしました。

一方、焚書では、儒学を中心とする諸子百家の書が焼き払われました。始皇帝には、さまざまな思想があることは反乱の原因になりかねないと見えたのです。

この焚書坑儒によって、諸子百家の時代は終わりを告げますが、やがて秦が滅んで漢の時代が訪れると、儒教が統治の根本原理とされ、以後、中国だけでなく、日本を含めた東アジアの国々に影響を及ぼしていくことになります。

王侯将相いずくんぞ種あらんや

秦滅亡のきっかけをつくった小役人の動機

中国最初の統一王朝・秦の滅亡のきっかけをつくったのは、陳勝《ちんしょう》と呉広《ごこう》という二人の下級役人。彼らが反乱の火の手をあげ、それが全土に拡大したのです。

陳勝と呉広が決起したのは、秦の「法」を恐れてのことでした。

紀元前２０９年、陳勝と呉広は９００人の部隊を率いて、万里の長城付近の守備に当たることになりました。しかし、移動したのは雨期のことで、到着期限を守れそうになくなりました。期限に遅れると、法を破ったことになり、斬罪が待ち受けています。そこで、陳勝らは「どうせ死ぬのなら」と反乱を起こしたのです。

そのとき、陳勝は、部隊に向かって「王侯将相いずくんぞ種あらんや（王や将軍らと、自分たちとで種が違うわけではない)」、だから思い切ってやろうと訴えました。

陳勝と呉広の蜂起は成功し、その部隊は数十万人にもふくれ上がります。彼らは、かつての楚の都に入城し、陳勝が王位につき、国号は「張楚」としました。

そして、張楚の軍勢は、秦の都・咸陽《かんよう》へ向かいます。しかし、さすがに秦が準備をととのえて繰り出してきた精鋭軍には歯が立たず、張楚は崩れはじめます。呉広は部下に殺され、秦軍が張楚の都に迫るなか、陳勝は逃亡しようとしますが、仲間に殺されました。

陳勝・呉広の乱はわずか6か月で終わりましたが、その半年の間に、中国各地では多数の反乱が起きていました。そして、項羽や劉邦も立ち上がって、秦王朝は紀元前206年に滅亡することになるのです。

背水の陣

一歩も引けない状況でとったある作戦

「背水の陣」は、一歩も後に引けない状況に立たされたときに使う言葉。『史記』

にある次のようなエピソードから生まれた言葉です。

後に前漢を建てる劉邦が、天下統一を目指して戦っていた時期、彼の配下に、「国士無双」と称えられた名将がいました。韓信です。

韓信は、趙と戦うとき、数の上はたいへんな劣勢に立たされました。敵軍20万に対し、自軍はわずか1万2000足らずだったのです。

そのとき、韓信は、2000の兵を別動隊とし、赤い旗を持たせます。そして「明日の戦いで、わが軍はわざと敗走してみせる。敵は、陣地をあけて追撃してくるはずだ。その隙を突いて敵陣を取り、この赤旗を掲げよ」と命じました。そして、自分は残りの兵1万とともに、川を背にして陣を敷いたのです。それが「背水の陣」です。

趙軍は、その陣立てを見て、笑いました。川を背にして陣を敷くと、敵が正面から攻め込んできたとき、退却することもできません。兵法では、とってはならない陣形とされていたのです。

翌日、漢軍は、趙軍としばし戦ったあと、予定どおり、負けたふりをして河岸の陣地に引き返します。趙軍は、勝利を確信し、追撃してきました。

背水の陣を敷いた漢軍は、文字どおり「もうあとがない」ので、奮戦します。趙軍がそれに手こずる間に、別動隊が敵陣を奪い、赤旗を掲げました。

これで、趙軍は大混乱に陥り、韓信の本隊が反撃、別動隊と趙軍を挟み撃ちにしました。これで、趙軍は敗走しました。韓信は、こうして20倍近い敵相手に大勝利をあげたのです。

四面楚歌

無敵のはずの項羽が追い詰められた理由

秦の滅亡後、項羽が一時的に天下の覇権に近づきますが、その残虐性から支持を失い、劉邦の巻き返しにあって、劣勢に陥ります。その項羽と劉邦の最後の戦いが、紀元前202年の「垓下《がいか》の戦い」です。

その戦いの前は、項羽が攻勢に出て、劉邦の根拠地である漢中に迫っていました。しかし、劉邦軍は、項羽軍の猛攻をよくしのぎ、漢中の穀倉地帯を守りきったのです。

しだいに、互いに手詰まりとなり、和議が交わされるのですが、その際、劉邦の軍師の張良らは、劉邦に黒い知恵をさずけます。和議を破って、項羽軍をだまし討ちにするよう、進言したのです。

張良は、項羽軍が食糧不足に陥り、戦意が落ちていることを見抜いていました。劉邦は、その意見に従って、だまし討ちにすることを決断します。

さらに、劉邦は、彭越、黥布《げいふ》らの有力武将を味方につけ、彼の軍勢は30万人にふくれあがりました。一方、項羽の軍勢は10万人ほどでした。

追撃を受けた項羽軍は善戦するものの、ついに包囲されます。そこで、劉邦の軍師・張良が、劉邦の漢軍に楚の歌を歌わせることを考え出します。

夜、漢の軍勢が楚の歌を歌いはじめると、それを聞いた項羽は判断を誤ります。自らの根拠地である楚が、すでに劉邦に下り、その支配下に入っていると誤解したのです。これが「四面楚歌」の語源となった故事です。

これで、項羽とその軍団は戦意を喪失、項羽は夜、垓下を脱出しますが、追撃した漢軍との戦いの中、戦死しました。こうして、劉邦は天下を統一し、「漢」を建国するのです。

天下三分の計

広い国土を三つに分ける大戦略の結末

劉邦が建国した前漢、そして後漢の時代を経て、3世紀初頭、漢の力が衰えると、中国は「三国志の時代」を迎えます。その時代、後に蜀漢の皇帝となる劉備は、諸葛孔明の住まいを三度訪ね、いわゆる「三顧の礼」をもって軍師として迎えますが、その時期、孔明が劉備に語った戦略が、「天下三分の計」です。なお、この「三分」は「さんぶん」と読み、「さんぶ」と読むのは間違いです。

孔明は、その戦略を述べる前に、天下の情勢を分析します。曹操は、長江から北、黄河から南の中原一帯を支配し、単独でぶつかるには強敵すぎる。だから、長江以南の呉を治める孫権と協力することが得策だと述べたのです。

そのうえで、本拠地を持たず、兵力も少ない劉備が、この二人の武将に対抗して、天下をとるにはどうすればいいか？

孔明は、まず劉備が身を寄せている荊州《けいしゅう》と隣接する蜀を平定して、基盤とすること。そして、孫権と手を結んで曹操に対抗し、広い国土を三つの勢力によって分割して治めることを提案したのでした。その大戦略が、後に「天下三分の計」と呼ばれることになったのです。

出師《すいし》の表《ひょう》

諸葛孔明が劉禅にどうしても伝えたかったこと

やがて、劉備は、諸葛孔明の戦略にのって蜀漢を建国、天下三分の形勢を実現しますが、まもなく息をひきとります。

その後、孔明は、劉備の息子、二代目皇帝の劉禅《りゅうぜん》を支えながら、曹操の息子が建国した魏攻略を目指します。

孔明は、まず南方の反乱を鎮めて背後を固め、その後、「北伐《ほくばつ》」への準備を重ねます。そのなか、曹操の跡を継いで魏の初代皇帝となった曹丕《そうひ》が病死して、曹丕の子である曹叡が二代皇帝に就きました。孔明は、この代替わりの時期を好機とみて、出陣を決意します。

そして227年、諸葛孔明は出陣前、劉備の跡継ぎの劉禅に自らの決意をしためた文書を送ります。それが、この「出師《すいし》の表」です。

その文書の大意は、「先帝（劉備）は志半ばで崩御されました。今、天下は三分されていますが、蜀は疲弊し、存亡にかかわる危機にあります」

「無官で耕作して暮らしていた私ですが、先帝はそんな私をも軽んじず、三度もわが家においでくださり、世情をお尋ねになりました。いたく感動した私は身命を賭する覚悟を決めました」

「南を平定し、武器も満ちた今こそ、軍を率いて北を征服すべきときです。愚かな私ですが、悪人をのぞき、漢王朝を復興させ、長安や洛陽を取り戻します。それを達成してこそ、先帝のご恩に報い、陛下に忠誠を尽くせます」

「私の受けた御恩は感激に堪えません。ここに出征を上表しますが、涙があふれ、何と申し上げたらよいかわかりません」

そのような文意の出師の表を捧げた孔明は、5万の兵を率いて「北伐」に向かいました。その後、孔明は亡くなるまでに計5回の「北伐」を行いますが、魏を滅ぼすことはできませんでした。逆に、蜀の国庫は一連の戦いで枯渇し、孔明自身も寿命を縮めることになりました。

もともと、蜀の国力で大国魏を破れると、孔明が思っていたかどうかも疑問です。孔明が戦い続けなければならなかったのは、国内をまとめるため、外敵が必要だったからかもしれません。臣下をまとめるには国家目標が必要であり、その目標が打倒魏だったと考えられるのです。

孔明は234年、第5次北伐の「五丈原《ごじょうげん》の戦い」の最中、息を引き取ります。五丈原で孔明と対峙していたのは、司馬懿《しばい》でした。司馬懿は持久戦に出て、蜀軍の補給が絶えるのを待ったのです。

孔明の望みは、この時期、呉軍が南方から魏軍を攻めていることでした。呉軍が魏領内になだれ込めば、情勢は変化し、チャンスが生まれるとみていたのです。ところが、呉軍は魏軍に押し返され、孔明の願いはかないませんでした。そのショックもあってか、孔明は倒れたのです。

孔明の死をもって、北伐は終了し、蜀は国家の柱と目標を失い、急速に衰退、263年、滅亡します。

コラム1

一度聞いたら忘れられない世界史の〝強い〟ワード

世界史には、〝強いワード〟が多数登場します。それらは、たとえその中身は忘れても、長く記憶に残っているものです。

このコラムにまとめたのは、そんな一度聞いたら忘れられない世界史の言葉。口に出して読むなどしてぜひ味わってみてください。

■世界史の「本筋」とはあまり関係なく、とにかくカッコいい言葉

◉ギルガメッシュ叙事詩

メソポタミアの英雄ギルガメッシュの活躍をまとめた叙事詩です。楔形《くさびがた》文字で書かれたなかでは、最大の作品。かつての深夜番組名やゲームのキャラ名に使われるのも、この「ギルガメッシュ」という語のパワーのなせるわ

ざでしょう。

◉テルモピュライの戦い

紀元前480年、ペルシア戦争中の有名な戦いで、映画『300〈スリーハンドレッド〉』のモデルとなった戦い。テルモピュライとは「熱い門」という意味です。

◉光は東方より

もとは、古代ローマのことわざで、ローマ文化は東にあるギリシャ文明、文化を受け継いでいるという意味。現代では、世界の文明がオリエント（エジプトやメソポタミア）で起こったという意味で使われます。

◉分割して統治せよ

もとは、古代ローマが征服地の自治権に差をつけて統治し、互いに牽制させたことに由来する言葉。後世のイギリスのインド統治に関しても使われています。

◉シチリアの晩鐘

1282年、シチリアの島民が支配者のフランス・アンジュー家に対して起こした反乱。ベルディの同名のオペラのテーマになった事件です。

◉黒太子エドワード

14世紀のイギリスの王子。百年戦争における最も有名なヒーロー。「黒太子」という名は、彼が黒い鎧を着用していたことに由来。父王よりも先に死んだため、王にはなれませんでした。

◉ワールシュタットの戦い

1241年、モンゴル軍とポーランド・ドイツ軍の戦い。モンゴル軍の圧勝に終わりました。ワールシュタットはポーランドの地名。

◉タタールの軛《くびき》

中世、ロシアの諸公国がモンゴル系のキプチャク・ハン国に支配されたこと。「軛」とは、牛や馬の首にかける横木のことで、比喩的に、自由を束縛するものという意味で使われます。

◉サン・ヴァルテルミの大虐殺

1572年、フランスのカトリックがプロテスタントを大量虐殺した事件。

◉帝国の死亡証明書

1648年に結ばれた三十年戦争の講和条約・ウェストファリア条約の異名。この条約締結後、「神聖ローマ帝国」が、さらに有名無実化したことから、こう呼ばれます。

◉北方の流星王カール12世

17世紀末から18世紀初めにかけてのスウェーデン国王。1700年からの北方戦争で、デンマーク、ロシア軍などを撃破。治世の大半が戦陣にあったことから、「兵隊王」とも呼ばれます。

◉エル・ドラドー

南米にあるとされた黄金の国。この伝説が、スペインの征服者たちを南米探検に駆り立てました。

◉自由か死か

アメリカ独立戦争の指導者パトリック・ヘンリーが議会で演説した中の言葉。「自由を与えよ、しからずんば死を与えよ」と演説したと伝わります。

◉未回収のイタリア

1866年のイタリア統一後も、オーストリア領内に残ったイタリア人居住地域を指す言葉。イタリア語の「イタリア・イレデンタ」を訳した語。

Chapter4　**中世**

リチャード１世が、「獅子心王」と呼ばれるようになった理由

アーサー王

イギリスの「英雄伝説」は何を伝えているのか

さて、時代は「中世」にすすみます。まずは、謎に満ちたイギリスの中世初期に注目してみましょう。

ローマ帝国が衰退し、イギリスから引き上げた後のブリテン島の様子を伝える伝説があります。有名な「アーサー王伝説」です。

伝説によれば、アーサーは神剣エクスカリバーを手に入れ、ブリトン王となります。彼の傍らには、魔術師マーリン、湖の騎士ラーンスロットら円卓の騎士が集い、活躍します。なお、魔術師の名は「マリーン」ではなく、「マーリン」なので、ご注意のほど。

その伝説の舞台となったのは、5世紀から6世紀にかけてのブリテン島ですが、伝説がまとめられたのは12世紀以降のことです。ただ、アーサー王伝説は、まったくの作り話ではなく、モデルらしき人物が存在します。5世紀末、ブリテン島南部にいたアルトゥスという武将です。彼は、土着のブリトン人の武将として、外来のアングロ・サクソン勢力を相手に奮戦し、それがやがて伝説のもととなったとみられるのです。

アーサー王伝説が発展した背景には、ブリトン人の怨念と再興への希望があったと考えていいでしょう。ケルト系のブリトン人は、ブリテン島の先住民でありながら、大陸から侵攻してきたアングロ・サクソンの勢力に敗れていきます。そして、ブリトン人は、ブリテン島周辺部、当時としては辺境のウェールズやスコットランドに追いやられます。その怨念がアルトゥスという武将をモデルとする英雄物語を生み出したと考えられるのです。

東西教会の相互破門

キリスト教の総本山が二つになったワケ

1054年に、キリスト教会は、カトリック教会と東方正教会に分かれます。事の発端は、ローマ帝国時代にさかのぼります。4世紀初頭、ローマ皇帝コンスタンティヌス1世は、キリスト教を公認しました。また彼は、それまでビザンティオンと呼ばれていた東方の町を、自らの名前にちなんで、コンスタンティノポリスと改名し、ローマに次ぐ都市とします。

4世紀末以降、ゲルマン民族の大移動がはじまり、395年、ローマ帝国は東西に分裂し、同民族は西ローマ領内に多数の部族国家を建設します。476年、西ローマ帝国は滅亡します。

その後、西ヨーロッパは、政治的な中心を失うなか、ローマ教皇を中心として一体性を維持していくことになります。一方、東ローマ帝国は6世紀前半、東方のキリスト教の総本山として、コンスタンティノポリスに大聖堂を建設します。

その後、7~9世紀になると、東西交流はしだいに薄くなり、東西両教会の間で、教義の解釈や礼拝方式などに違いが生じはじめます。そうして、東西両教会の溝は深まっていたのですが、1054年、分裂を決定的にする出来事が起きました。

当時、ローマ教皇の使いとして、コンスタンティノポリスを訪れていた枢機卿フンベルトが、東方の総主教のミカエル・ケルラリオスの非礼に怒り、破門状を叩きつけたのです。これに対して、東方側も、ローマ教皇とフンベルトに破門を言い渡します。この破門に対する破門返しによって、東西の分裂は決定的になります。

その後、東西教会の対立は900年以上も続き、1965年、ようやく「カトリック教会と正教会による共同宣言」が発表され、互いの破門が取り下げられました。

十字軍

聖地を取り戻せなかった不毛な遠征の歴史的副産物

「十字軍」は、イスラム勢力の支配下にあった聖地エルサレムを奪回するために編成されたヨーロッパ連合軍。11世紀末から13世紀後半にかけて、7回の遠征を行い、衣服などに十字架の印をつけていたことから、この名で呼ばれます。

そもそも、イスラエルの都市エルサレムは、ユダヤ教、キリスト教、イスラム教の共通の聖地。その聖地エルサレムの領有をめぐって、ヨーロッパ勢力とイスラム勢力の間で戦われたのが「十字軍戦争」です。

11世紀末、東ローマ帝国は、トルコ系のセルジューク朝の小アジア進出に危機感を覚えていました。そこで、東ローマ皇帝は、ローマ教皇ウルバヌス2世に援軍派遣を依頼します。

分裂した相手が援助を乞うてきたのですから、ローマ教皇にとっては、自らの権威を高める好機でした。教皇は「同じキリスト教徒が、東方で異教徒に苦しめられている」と、ヨーロッパ各地の王侯に訴えます。すると、王侯や騎士の間に、「聖地エルサレムをイスラム勢力におさえられているのは許せない」という気運が生まれ、聖地奪還を目指す遠征軍が編成されたのです。

1096年編成の第1回十字軍は、10万もの軍勢となり、イスラム勢力をいったん蹴散らして、エルサレムを占領、1099年、「エルサレム王国」を建国します。ただ、同王国は、イスラム勢力の大海の中の孤島のような存在であり、まもなくイスラム勢力の反撃にあって滅ぼされました。以後、十字軍は聖地を奪回することはできませんでした。

その第一の敗因は、十字軍がヨーロッパ各地からの寄せ集めの軍隊であり、意思統一を図れなかったことがあります。指揮系統がバラバラでは、一枚岩のイスラム勢力を倒すことはできなかったのです。

後半の十字軍は、聖地奪還という当初の目的を忘れ、迷走の限りを尽くしました。もともと、東ローマ皇帝の要請ではじまったのに、同帝国の首都コンスタンティノープルを占領し、自らの国を建国する者まで現れる始末でした。

ただ、それでも十字軍という大ムーブメントは、歴史を大きく変えました。7次におよぶ遠征で、人やモノが大量移動したことで、地中海交易が活発化、イスラム社会の進んだ文物がヨーロッパに流入しました。また、十字軍を主導した教会権力は威信を失うことになりました。

そうした影響から、後述するルネサンスが花開くことになるのです。

テンプル騎士団

世界史上もっとも有名な騎士団が誕生するまで

「テンプル騎士団」は、今なお、いろいろなストーリー、陰謀論の主役となる組織。もともとは、十字軍の時代、聖地エルサレムを訪れる巡礼者を保護するためにつくられた騎士修道会でした。

第1回十字軍が聖地エルサレムの奪還に成功すると、多数の人々がヨーロッパから聖地巡礼に向かうようになりました。その時期、フランス出身の9人の騎士が、巡礼者を保護するための騎士団の設立をエルサレム国王に願い出ます。

国王はその設立を認め、ソロモン神殿の跡地の一部を宿舎として提供しました。こうして、本部が神殿跡に置かれたことから、「テンプル騎士団」（テンプルとは「聖堂」の意）と呼ばれるようになりました。なお、同騎士団の正式名称は、「キリストとソロモン神殿の貧しき騎士団」でした。

その後、王侯貴族から寄付が集まるようになり、また騎士団に入団する者は、私有財産をすべて寄贈しなければならなかったため、同騎士団は巨万の富を持つようになりました。

騎士団は、その資金力を生かして、金融業に進出。王侯貴族から資産を預かっては、貸し出して利子を稼ぐ、というビジネスモデルによって、その財力はさらに膨れあがりました。騎士団は、ヨーロッパと中東各地に土地を所有し、自前の艦隊まで保有するようになったのです。

しかし、その勢威は長くは続きませんでした。フランス国王のフィリップ4世が、その隆盛ぶりに目をつけたのです。王は、騎士団の資産奪取を企み、1307

年、在フランスのテンプル騎士の一斉逮捕に踏み切ります。騎士たちの容疑は、「キリスト教の信仰を捨て、悪魔礼拝のようなことをしている」というものでした。

これで、騎士団は壊滅しますが、その存在はやがて伝説となり、今なお、さまざまな物語の中で生き続けています。

ノルマン・コンクェスト

ヴァイキングの子孫がイングランドを征服

英国史にとって、1066年は画期的な年になりました。ノルマンディ公国のギヨーム2世がブリテン島に上陸し、アングロ・サクソンの王朝を倒して、ノルマン王朝を築いたのです。この征服は、「ノルマン・コンクェスト（ノルマン人による征服）」と呼ばれます。

ギヨーム2世はヴァイキングの末裔で、祖先にノルマン人のロロという族長がいました。911年、ロロがシャルトルを包囲すると、当時の西フランク王は勝てないとみて、ロロにフランスの北方の土地を与えます。そこから、その地は「ノルマン人の地」という意味で「ノルマンディ」と呼ばれるようになります。

やがて、ロロの一族はフランス化し、その国のノルマンディ公国はフランス内の強国となります。そして、ギョームは、イングランド王の地位に狙いをつけます。

彼は、イングランドのエドワード王を援助し、王から王位継承の約束を得ていたのですが、1066年、王が亡くなった際、王の義弟が、王から指名を受けたとして即位します。ギョームはこれに対してイングランドに侵攻、新王の軍勢とイングランド南部のヘイスティングスで激突します。

ギョームはその戦いに勝利し、ウィリアム1世として即位し、ノルマン朝を開きます。なお、「ウィリアム」は、フランス語の「ギョーム」の英語読みです。

ただし、ウィリアム1世にとって、本拠地はあくまでフランスにあり、彼は英国王でありながら、依然ノルマンディ公として、フランス王の臣下でもあるという複雑な立場にありました。

そうしたイングランドとフランスの複雑な関係が、後述する「百年戦争」など、英仏の戦いの遠因になっていきます。

カノッサの屈辱

皇帝と教皇の熾烈な権力闘争の末に起きた大事件

中世は、ローマ・カトリック教会が圧倒的な権威を持っていた時代です。宗教的権威だけでなく、土地や財産の寄進を受け、広大な荘園を所有することで、経済的にも大きな力を持っていました。

教会は、そうした権威と経済力をバックに、世俗権力（皇帝や王）と対峙するようになります。皇帝や王も、そうした教会権力に危機感を抱き、数世紀にわたって、両者が覇権争いを繰り広げることになります。

両者の戦いの象徴ともいえる歴史的事件が、「カノッサの屈辱」です。

「カノッサ」とは、イタリア北部の町の名前です。現在の人口は３８００人ほどの小さな町ですが、中世には栄え、ローマ教皇を迎えるほどの名城カノッサ城があった町です。

さて、11世紀後半、神聖ローマ皇帝のハインリヒ４世と、ローマ教皇グレゴリウス7世の間で、「聖職者の任命権」をめぐる争いが起きました。

その発端は、皇帝ハインリヒ4世が、ミラノ大司教や中部イタリアの司祭を任命したことです。これに教皇は反発、ハインリヒ4世を破門します。当時、教皇から破門されることは、神聖ローマ皇帝の地位を危うくする事態でした。

皇帝は窮地を脱するため、教皇が滞在していたカノッサ城を訪れ、許しを乞います。冬の城外で3日間、素足で祈りと断食を続けて謝罪し、ようやく破門を解除されました。

1077年に起きたこの事件は「カノッサの屈辱」とよばれ、世俗権力のトップである皇帝よりも、宗教権力のトップの教皇のほうが、立場が上であることを示す象徴的な出来事となりました。

以後、歴代の教皇は、命令に従わない王や諸侯を「破門」を材料にして従わせ、11世紀から13世紀にかけて、絶大な権力を誇ることになったのです。

しかし、やがてイングランドのヘンリー8世のような破門を恐れない〝宗教的ならず者〟が現れるようになり、教会がヨーロッパを牛耳った時代は終わりを迎えることになります。

メメント・モリ

黒死病はヨーロッパをどう変えたか

14世紀半ば、ヨーロッパでは、ペストが大流行します。地中海沿岸の港町からはじまったペスト禍は、フランスからドイツ、イギリス、北欧へと広がり、わずか4年間で、当時のヨーロッパの人口の3分の1以上の人々の生命を奪ったのです。

ペストの恐怖におびえる人々の間では、一つの言葉が流行しました。それが、このラテン語の言葉「メメント・モリ」（死ぬことを忘れるな）です。その後、この言葉は、芸術のモチーフになるとともに、ペスト時代を象徴するフレーズになりました。

そもそも、この言葉は、ローマ時代から使われ、当時は、将軍が凱旋パレードを行う際、「今は勝利の絶頂にあるが、明日はどうなるかわからない」という意味で、気を引き締めるために使っていました。

さて、中世、ペストの流行は、ヨーロッパの社会構造を大きく変えました。まず都市は、人口密度が高い分、感染症の被害が大きくなり、フィレンツェでは人口の5分の3、ベネチアでは4分の3が失われたとみられます。

一方、農村では、労働者の数が減ることで、労働力の価値が上がり、農民の待遇や労賃が改善されることになりました。また、待遇の改善を求める農民一揆が増え、「ジャクリーの農民一揆」（1358）や「ワット＝タイラーの一揆」（1381）のような大乱が起きました。

そうしたことから、領主層の経済的な基盤が崩れ、中世の社会基盤だった封建制が崩壊していきます。そうして、小権力が力を失うと、それを国王が集約するように、強い力を持つようになり、中央集権的な絶対王政国家が現れるきっかけとなったのです。

獅子心王
リチャード1世がそう呼ばれるようになった理由

イングランドには異名を持つ王が多数いますが、そのなかでも最もカッコいい名はこの「獅子心王」でしょう。英語でいえば「ライオンハート」で、「勇敢な心」を意味します。

その異名で呼ばれたのは、12世紀のリチャード1世です。彼は、プランタジネット朝の2代目の王で、十字軍遠征で活躍したことから、この名で呼ばれます。騎士の模範とされる存在です。

1189年、第3回十字軍には、獅子心王のほか、神聖ローマ帝国皇帝のフリードリヒ1世やフランス王のフィリップ2世という豪華メンバーが参加しました。しかし、皇帝は途中で事故死し、フランス王は途中で帰国してしまったので、エルサレム奪回のために戦ったのは、リチャード1世だけでした。

彼の相手となったのは、アイユーブ朝の英雄、サラディンです。リチャード1世は結局、エルサレム奪回を果たせなかったのですが、イスラムの英雄サラディン相手に奮戦したところから、「獅子心王」と呼ばれるようになったのです。

ところが、十字軍遠征からの帰路、彼の人生は暗転します。彼に恨みを抱くオーストリア公に捕まり、神聖ローマ帝国皇帝ハインリヒ6世に引き渡されたのです。その後、約2年間幽閉され、釈放にさいしては、多額の身代金を支払うことになりました。すでにイングランドは十字軍遠征のため、多額の費用を捻出していたので、それに身代金が加わり、国家財政は火の車状態になりました。釈放後、リチャード1世は、フランスを舞台にしてフランス王と戦いますが、その最中、矢を受け、その傷がもとで死去しました。

オルレアンの少女

百年戦争の戦況を変えた少女の話

ヨーロッパの歴史には、「○年戦争」と呼ばれる戦争がいくつかあります。宗教的対立を背景に戦われた「三十年戦争」（1618～48）、マリア・テレジアとフリードリッヒ大王が戦った「七年戦争」（1756～63）などです。

そうした「○年戦争」のなかでも、文字通り「桁違い」の戦いが、オルレアンの少女こと、ジャンヌ・ダルクの活躍で知られる「百年戦争」です。

「百年戦争」は、11世紀のノルマン・コンクエスト以来のイングランドとフランスのねじれた関係を清算するための大戦争だったといえます。

事の発端は1328年、フランス王のシャルル4世が死去し、カペー朝が断絶したことでした。

そこで、傍系のヴァロワ家のフィリップ6世が即位し、ヴァロワ朝を開いたのですが、この王位継承に、イングランド王のエドワード3世が待ったをかけました。エドワード3世は、彼の母親がカペー家出身であることを理由に王位継承権を主張、1339年、フランスに攻め込んだのです。

こうして「百年戦争」は幕を開けました。「百年」といいますが、実際には1339年にはじまり、1453年に終わったので、百年どころか110年以上も続いたわけです。ただし、その間、ずっと戦っていたわけではなく、数度の休戦をはさみながらの戦いでした。

また、当時の騎士には、1年間で1か月ほどの従軍義務しかなく、その期間が過ぎれば、さっさと引き上げていました。それも、戦争を長引かせた理由の一つです。

また、14世紀半ばには、前述したペストが流行し、両国に大ダメージを与えました。そのことでも、戦争は中断したのです。

では、その戦いの経緯をふりかえってみましょう。まず、初期の戦いでは、エドワード3世率いるイングランド軍が、1346年のクレシーの戦いで圧勝、カレーを占領します。さらに1356年、ポワティエの戦いで、エドワード3世の子・エドワード黒太子がフランス軍を撃破、フランス国王ジャン2世を捕虜にします。

その後も、イングランド優勢の状態が続き、フランス皇太子のシャルルはなかなか即位できないでいました。そんなフランスの難局に、突然現れたのが、ジャンヌ・ダルクです。

ジャンヌは、ロレーヌ公領のドムレミ村の農家に生まれた当時17歳の少女です。そんな一少女が「フランスを救え」という神の声を聞き、1428年、ヴァロワ家の皇太子シャルルのもとに赴くのです。そして、ジャンヌは軍をゆだねられ、翌年、オルレアンを包囲中のイングランド軍に向かって突撃し、オルレアンを解放します。

当時、イングランド兵は、長い包囲戦に疲れていました。そこに、ジャンヌ率いるフランス兵が熱狂的な攻勢を仕掛けてきました。その神がかり的な攻勢の前に、イングランドは敗走してしまったのです。

ジャンヌはその勢いに乗り、パティの戦いでもイングランド軍に圧勝、ランスに

オルレアンに入城するジャンヌ・ダルク

到着します。ランスは歴代フランス王が戴冠式を行ってきた都市であり、この都市の奪還により、皇太子のシャルルはシャルル7世として即位することができました。王の誕生によって、フランスは求心力を取り戻し、イングランド軍を撃破しはじめました。

ただ、ジャンヌの神通力は一時的なものでした。その後、パリの奪還に失敗、コンピエーニュの戦いで敗れ、ブルゴーニュ公国の捕虜となります。公国は、同盟国のイングランドにジャンヌ・ダルクを引き渡しました。

イングランドはジャンヌを裁判にかけ、「魔女」と判定、1431年、ルーアンの広場で、火刑に処しました。オルレアン解放から、わずか2年余り後のことでした。

その後、シャルル7世は、イングランド側に立っていたブルゴーニュ公国と和解。これによって、フランス国内は一本化され、イングランドへの反撃を本格化します。そして、1453年、フランスはイングランド勢をほぼ追い出したのです。

百年戦争はこうして終結、イングランドがフランス内に所有する領地はなくなり、イングランドとフランスの複雑な関係が清算されたのです。

なお、百年戦争終結後、ジャンヌの存在は長らく忘れられていました。ところが、19世紀初頭、あのナポレオン・ボナパルトが彼女の伝説を再発見。ナショナリズム昂揚の材料として利用、以後、ジャンヌは救国の少女として知られていくことになります。

ばら戦争

なぜ戦争に優雅な花の名前をつけたのか

世界史上、英国の「ばら戦争」（1455〜85）ほど、優雅な名前の戦いはないでしょう。なぜ、花の名で呼ぶのでしょうか？

この戦いでは、赤ばらを紋章とする「ランカスター家」と、白ばらを紋章とする「ヨーク家」が王位をめぐって戦いました。そこから、「ばら戦争」と呼ばれます。ただし、戦争当時から、その名で呼ばれていたわけではなく、後世の作家によるネーミングです。

しかし、その優雅な名前のわりに、戦いの実相は、同国民同士による血で血を洗う長期戦でした。その戦いを、まずは戦い前の状況からふりかえってみます。

ばら戦争は、百年戦争終結から、わずか2年後にはじまった戦いです。百年戦争中、イングランドでは、戦況が悪化すると、国内で反対勢力が台頭して王朝がぐらつき、戦争中と終戦直後の2度、王朝が交代しました。

まず、戦争中に倒されたのは、プランタジネット朝です。当時の王は、リチャード2世で、百年戦争をはじめたエドワード3世の孫です。エドワード3世の子の多くが死去していたため、エドワード3世の死去に伴い、10歳で即位しました。

当時は、フランスの反撃にあって、また国内ではワット・タイラーの乱が起きて、王の威信が低下するばかりの時期でした。リチャード2世は威信を挽回すべく、強権をふるいますが、貴族らと対立。王と貴族らの間をとりもったのは、エドワード3世の子で、ランカスター家のジョンでした。

しかし、そのジョンがまもなく死没すると、王はこともあろうか、ランカスター家の所領を没収してしまいます。この恩を仇で返すような仕打ちが、ランカスター家の新当主ヘンリの怒りに火をつけました。

1399年、ヘンリは、王の隙をついて、亡命先のパリから帰還し、王を捕らえます。ヘンリはその後、貴族や市民に支持され、ヘンリ4世として即位。「ランカスター朝」を開きました。リチャード2世は幽閉された後、死去したと伝えられます。

一方、ランカスター朝は、ヘンリ4世とその子のヘンリ5世の時代は安泰でしたが、その子のヘンリ6世に不幸が待っていました。わずか9歳で即位したことから、叔父らが王の代行の座を得ようと争い、内紛状態となったのです。加えて、この時期、フランスにジャンヌ・ダルクが登場し、イングランドはフランスから追い出されてしまいます。

そんな時期、台頭したのが、ヨーク公のリチャードでした。ヨーク家はエドワード3世の5男のエドマンドを祖とし、王になる資格のある血筋でした。そして、1455年、ランカスター朝とヨーク家の間で、ついに「ばら戦争」がはじまりました。

ばら戦争は3次にわたる戦いですが、まず第1次の内乱で、ヨーク家のリチャードは戦死、すぐにリチャードの長男エドワードが台頭します。彼は諸侯を味方につけ、1461年、エドワード4世として即位。これが、「ヨーク朝」のはじまりです。

しかし、エドワード4世が、ランカスター朝の王だったヘンリ6世の息の根を止めることができなかったため、内乱の火種が残ります。

第1次内乱のヨーク家の勝利には、ウォーリック伯リチャード・ネヴィルが貢献していました。そのネヴィルがランカスター派に寝返り、第2次内乱がはじまったのです。

第2次内乱では1470年、まずはランカスター派が勝利、ロンドン塔に幽閉されていたヘンリ6世が復位します。敗れたエドワード4世は、いったんフランスのブルゴーニュへ逃れますが、ブルゴーニュ公の後押しでイングランドに再上陸、再びランカスター派を破ります。エドワード4世は復位し、ヘンリ6世やウォーリック伯をなきものとします。これで、再びヨーク朝の時代を迎え、ランカスター派はほぼ壊滅しました。

こうして、ヨーク朝は2つの内乱に勝利するのですが、エドワード4世が亡くなると、新たな内紛が起きます。

エドワード5世が13歳で即位したものの、エドワード4世の弟グロスタ公リチャードが王位を奪うため、王をロンドン塔に幽閉、自らリチャード3世として即位したのです。彼は、シェイクスピアの戯曲でも有名な陰謀家で、王となるため、多くの近親者を幽閉・殺害したことで知られます。

この内紛劇に対する嫌気から、ほぼ滅びかけていたランカスター家に注目が集まります。ランカスター派のリッチモンド伯ヘンリ・テューダーがフランスで生き残っていたのです。反ヨーク派が、彼のもとに結集します。

1458年、ヘンリ・テューダーが軍勢を率いて、ブリテン島に上陸、リチャード3世の軍を破り、王を戦死させます。これにより、ヘンリ・テューダーがヘンリ7世として即位、テューダー朝を開きます。

このテューダー朝が、ヘンリー8世らを経て、エリザベス1世の代の1603年まで続くことになります。

こうして、ばら戦争は終わったのですが、30年におよぶ内乱によって、貴族の数はほぼ半分になりました。残った貴族も力を失い、相対的に王の力が大きくなりました。こうして、30年におよぶ貴族同士の殺し合いが、イギリス絶対王政を準備することになったのです。

コーランか剣か

イスラム帝国はどのように成立した?

話をイスラム社会に移します。まずは、6世紀、イスラム教誕生の物語です。

イスラム教の預言者ムハンマドは570年頃、アラビア半島のメッカで生まれました。メッカは仲介貿易で栄えた町で、ムハンマドはその商業都市の名門、クライシュ族のハーシム家に生まれました。

彼は、生まれ落ちたときから、預言者だったわけではなく、中年までは、一商人として暮らしていました。40歳を過ぎた頃から、メッカ郊外のヒラー山に籠もるようになり、アッラー(神)の啓示を受けます。その瞬間、彼は、神の言葉を授かる預言者となりました。なお、「預言者」は「予言者」とは違う言葉で、神の言葉を預かる者という意味です。

ムハンマドは、妻や親戚、友人らに、神の啓示を伝えます。彼らはムハンマドの言葉を信じましたが、他のメッカの人々の対応は冷たいものでした。

とりわけ、ムハンマドが、クライシュ族による富の独占を批判したことから、一族の長老がムハンマドの暗殺を命じます。ムハンマドは、メッカから約350キロ離れたヤスリブへ身をかわし、数少ない信者と「イスラム共同体」を結成しました。そのことから、ヤスリブの名は「預言者の町」という意味の「メディナ」に変えられました。また、ムハンマドのメッカからメディナへの移住は「ヒジュラ（聖遷）」と呼ばれ、イスラム暦では、ヒジュラの年の西暦622年を元年とします。

その後、メディナのイスラム共同体は、勢力を拡大します。メッカの有力者らは警戒を強め、624年、両都市の間で戦いがはじまりました。メディナ軍はこの戦いに勝利し、メッカも制圧します。

ムハンマドは、自らの故郷のメッカをイスラムの聖地と定め、異教徒を追放します。さらに、アラビア半島全体に進出、大半の部族をイスラムへ改宗させました。こうして、アラビア半島に、一大宗教国家が誕生しました。

632年、ムハンマドが亡くなると、後継者の「カリフ」は選挙で選ばれました。「カリフ」とは「預言者の代理人」のことで、ムハンマドの代理人として、イスラム共同体のリーダーを務める役割です。初代カリフのアブー・バクルから4代アリーまで、選挙によってカリフが決められた約30年間を「正統カリフ時代」と呼びます。その時期は、イスラム共同体の爆発的な拡大期でした。イスラム共同体は、東ローマ帝国やササン朝ペルシアを圧倒、中東一帯を勢力圏に組み込んだのです。彼らのイスラム世界を広げるための戦いは「ジハード」（聖戦）と呼ばれました。

その戦いの過程で、イスラム勢力は、征服地の異教徒に改宗を迫ったことから、「コーランか、剣か」という言葉が生まれましたが、実際には、同じ「啓典の民」であるユダヤ教徒やキリスト教徒にまで、改宗を迫ったわけではありませんでした。彼らは一定額の「人頭税」を支払えば、従来通りの信仰を認められていました。

やがて、イスラム共同体は、ササン朝ペルシアを滅ぼし、シリア・パレスチナ、エジプトも手中におさめます。ただ、イスラム共同体が急拡大するとともに、カリフの座をめぐる争いが激化、正統カリフ時代は終わりのときを迎えます。

正統カリフ時代の656年、4代目カリフ（最高指導者）に選出されたのはアリーでした。ところが、シリア総督で実力者だったムアーウィアが内乱を起こします。その混乱のなか、アリーは暗殺され、ムアーウィアが自らカリフと称して、ウマイア朝を創始するのです。

これに対し、アリーの支持者らは、アリーとその子孫だけがカリフとなる資格があるとする「シーア派」を結成します。その一方、ウマイア朝のカリフを含めて、代々のカリフを正統と認める立場を「スンニ派」と呼びます。これが、今につながるイスラムの2大勢力、スンニ派とシーア派のはじまりです。

その後、ウマイア朝はカリフを世襲とし、6代目ワリード1世のとき、東は中央アジアから西は北アフリカ、さらにイベリア半島にまで進出し、大帝国を築きます。

しかし、ウマイア朝に対しては、不満の声も大きく、ムハンマドの一族の子孫のアブー・アルアッバースが反ウマイア勢力をまとめ、750年、アッバース朝を樹立、その翌年、ウマイア朝を滅ぼします。その後、アッバース朝は繁栄、その首都バグダッドは、国際都市として大いに栄えます。

オスマン帝国

この時代にトルコ系勢力が台頭した事情

「オスマントルコ」という言葉が、耳になじんでいる人が多いと思いますが、近年、この言葉は避けられるようになり、「オスマン帝国」や「オスマン朝」への言い換えが進んでいます。オスマン帝国は1299年、オスマン1世が建国したイスラム国家ですが、その帝国は、トルコ系が中心ではあったものの、「オスマントルコ」と呼べるほど、トルコ系の人々だけで構成された国家ではありませんでした。そうしたことから、近年では多くの辞書や事典が「オスマン帝国」や「オスマン朝」を見出し語に採用しています。

とはいえ、トルコ系が中心だったことは間違いなく、この項では、イスラム世界におけるトルコ系、台頭の歴史をふりかえってみます。

10世紀頃、トルコ系の遊牧民の一派が、族長のセルジュークに率いられ、中央アジアに勢力を広げます。そしてイスラム教へ改宗し、セルジュークの子らの世代が、現在のウズベキスタンやタジキスタンあたりに進出します。セルジュークの孫にあたるトゥグリル・ベクらが1038年、現在のイラン東北部あたりで、セルジューク朝を樹立します。

その後、トゥグリル・ベクは南下して、アッバース朝のカリフの招きで、バグダッドに入城します。そして、カリフから政治的有力者に与えられる「スルタン」の称号を得て、実権を掌握します。これによって、セルジューク朝は、中央アジアから小アジアにかけての広大な領域を支配下におきました。そして、キリスト教世界の東ローマ帝国に対抗することになりました。

中央アジアの一遊牧民族だったトルコ民族が、短期間のうちに、東ローマ帝国に対抗するような帝国を築けたのは、彼らが軍事的にひじょうに優れていたからでした。

そもそも、トルコ民族は、8世紀頃からアッバース朝で傭兵をつとめていました。そして、トルコ民族は、いわば民族ごと軍事化することで、戦闘能力を高めたのです。

その後、トルコ民族の主役は、セルジューク朝から、オスマン朝に移ります。オスマン一族は、セルジューク朝の傭兵部隊だったのですが、1299年、後のオスマン1世が独立を宣言し、「オスマン君侯国」を築きます。

その後、オスマン1世は領土を拡大し、1326年頃には、オスマン1世の子オルハンが、東ローマ帝国領内の都市プロウサを占領、ヨーロッパ近くにまで迫ります。さらに、オルハンの子ムラト1世はバルカン半島のアドリアノーブルに進出します。彼はその後、領土をブルガリアやマケドニアまで広げます。

1453年には、メフメト2世が、東ローマ帝国の首都コンスタンティノープルを攻略。「イスタンブール」と改名し、オスマン帝国の首都とします。

そうして、オスマン帝国は16世紀に最盛期を迎えますが、その後はゆるやかに衰退していきます。周辺諸国が相次いで反乱を起こし、軍事費が帝国の重い負担となりました。

19世紀になると、産業革命によって近代化を進めたヨーロッパとの産業力や経済力の差が大きくなっていきます。そして、19世紀半ばには、トルコは「瀕死の病人」にたとえられるようになります。

ヨーロッパ列強は、トルコ領内の民族自立運動に干渉するようになり、やがてイギリスなどの支援を受けたギリシアが独立します。オスマン帝国は、その後、ロシアとの露土《ろと》戦争に敗れ、東ヨーロッパの領土を失います。そして、20世紀を迎え、第一次世界大戦にも敗れると、オスマン帝国は領土の大半を失い、ついに解体されることになりました。

Chapter5　近世

「カリブの海賊」が活躍したのは、世界史上、どんな時代？

ルネサンス

北イタリアではじまった、これだけの理由

「ルネサンス」は13〜15世紀、イタリアを中心に起きた芸術・思想上の革新運動。もとは「再生」や「復活」を意味する言葉です。ただし、その時代から使われていたわけではなく、初めて使われたのは17世紀末の辞典だったとみられます。

その先駆けとなった作品は、フィレンツェ生まれの詩人ダンテの『神曲』です。カトリックの教義に基づきながらも、登場人物が個性豊かに描かれた叙事詩です。また、同じくフィレンツェ出身のボッカチオは、『デカメロン』を著し、人間の物欲や性欲を描くなか、教会の腐敗を痛烈に風刺しました。

これらの作品をきっかけにして、ルネサンスの活動はさまざまな領域に広がり、レオナルド・ダ・ヴィンチら天才芸術家を生みだすことになるのです。

そのルネサンスがイタリア、とりわけ北イタリアではじまったのは、そこが交易の中心地だったからです。広域との交易を通じて、古代ギリシアやローマの文化、

あるいは当時はヨーロッパよりも先進的だったイスラム文明・文化に触れる機会に恵まれていたことが、時代の扉を開く原動力になりました。

また、東ローマ帝国が衰退・滅亡したことで、多数の学者が北イタリアへ移住してきました。それも、古典文化の移入をすすめる要因になりました。

加えて、ルネサンスの主要な舞台となった都市、フィレンツェには、メディチ家という大パトロンがいました。同家のルーツは薬種商だったといわれますが、はっきりしません。一方、金融業の成功で財をなしたことは確かで、その富によって、知識人や芸術家を支援しました。同家の援助によって、フィレンツェの知識人や芸術家は、暮らしの心配をすることなく、研究や執筆、作品製作に打ち込めました。そうした条件がそろって、ルネサンスが花開いたのでした。

豪華王

政治・外交の天才でも、金儲けの才はなかった〝豪華な王〟

フィレンツェはもとは共和制の都市でしたが、メディチ家が莫大な富を蓄えるとともに、同家による事実上の独裁体制に移行します。同家の全盛期は、ロレンツォ・デ・メディチが当主をつとめた時代です。彼は別名「豪華王」と呼ばれています。

ロレンツォは、20歳のとき、家を継ぎますが、29歳のとき、大きな試練に遭遇します。彼が、名義上はローマ教皇領だったイモラをフィレンツェ領に接収したことが、ローマ教皇シクストゥス4世の怒りに触れたのです。

教皇はメディチ家打倒をもくろみ、メディチ家のライバルだったパッツィ家が協力します。

教皇は、メディチ家が独占していた教皇庁の財務管理業務をパッツィ家に移すなど、同家への支援をはじめます。

そして1478年、パッツィ家はロレンツォ暗殺を企てます。同家の刺客たちが、ロレンツォ、ジュリアーノの兄弟に襲いかかり、ジュリアーノを殺害しました。

ロレンツォは手傷を負いますが脱出、民衆の前でパッツィ家打倒を叫んで、市民を味方につけます。そして、ロレンツォはパッツィ家を打倒し、その長老を窓から吊るしました。

これに対して、教皇はロレンツォの破門で応じ、フィレンツェに対する聖戦を呼びかけます。それにナポリ王のフェルディナンドが呼応、フィレンツェ軍を破ります。

その危機に、ロレンツォは単身ナポリに乗り込んで、フェルディナンドと面会します。フェルディナンドはロレンツォの勇気に感じ入り、両者は意気投合。こうして、フィレンツェの危機は回避され、ロレンツォはフィレンツェの実力者の地位を確立したのです。

ただし、メディチ家の絶頂期は、彼の時代で終わりを迎えます。ロレンツォは政治や外交では能力を発揮しましたが、金融業を経営する才はありませんでした。メディチ家の財力は衰え、晩年のロレンツォは、フィレンツェ市の公金に手をつけるまでに落ちぶれました。

ロレンツォは、コロンブスが新大陸を発見した１４９２年に亡くなっています。その後、東西交易の主役は、スペインやポルトガルに移り、フィレンツェをはじめ、北イタリアの諸都市は衰退していくことになります。

チェーザレ・ボルジア

『君主論』のモデルってどんな人？

ボルジア家は、ルネサンスという「戦国時代」に、欲望をむきだしにして栄えた悪党一家でした。その全盛期は、15世紀末からのわずか10年ほどですが、その時期、ボルジア家はイタリア最強最凶の一家として、他の有力勢力から恐れられ続けました。

その時期、ボルジア家の事実上のトップだったのは、意外な人物です。ローマ教皇のアレクサンデル6世でした。

教皇といえば、生涯独身であり、子供はいないはずなのですが、彼は教皇でありながら、何人もの子供がいました。それくらい、当時の教会は腐敗していたのです。その息子の一人が、この項の主人公、チェーザレ・ボルジアでした。

彼は、権謀術数の限りを尽くして、イタリア中をかき回します。その「活躍」ぶりは、マキァヴェリの『君主論』のモデルとなったことでもよくわかります。彼は

後世「マキァヴェリズム」と呼ばれるような政治・外交的な手練手管を駆使して立
ち振る舞いました。
そして、彼は毒殺の名手であり、数々の政敵や対立する有力者を謀殺したとみら
れます。そのとき使われたのが、いわゆる「ボルジア家の毒薬」です。
チェーザレの人生をふりかえると、彼はまず宗教界に入り、父の後押しで枢機卿
にまでなりますが、その座を捨て、世俗世界に舞い戻ります。すぐに、父の後押しで枢機卿
軍の総司令となり、１４９９年、イモラとフォルリを攻略します。１５００年10月
から１５０２年にかけては、リミニ、ウルビーノ、カメリーノを奪取。当時は、教
皇の軍隊がそうした「侵略戦争」を繰り広げる時代だったのです。
チェーザレ軍の勢いは、ルネサンスの都フィレンツェにとっても脅威となりまし
た。そこで、フィレンツェの外交官がチェーザレのもとを訪れ、交渉に当たります。
その外交官の名は、マキァヴェリ。そう、マキァヴェリはこのとき、チェーザレ
に出会い、彼の中に理想的な政治家像を見て、それをもとに後年、『君主論』を執
筆するのです。
その後、チェーザレは、イタリア中央部の奪取に狙いを定めますが、それに失敗

し、あっという間に没落してしまいます。父の教皇が亡くなり、彼自身も病の床に就いたからでした。ボルジア家を襲ったのは、当時流行していたマラリアだったとみられます。

チェーザレが高熱に苦しんでいる間に、反ボルジア派が復活、チェーザレは担架に乗せられ、ローマから逃げ出すしかありませんでした。父の死後、一代を経て、ユリウス2世が即位。新しい教皇は、チェーザレを逮捕させ、牢獄に監禁します。その後、チェーザレは脱走と逮捕を繰り返しながら、1506年11月、ナバーラ王国に亡命します。国王の傭兵となるものの、翌1507年、31歳で戦死しました。

ボルジア家の興亡を語るとき、欠かせないのが、「ボルジア家の毒薬」をめぐる話です。同家には、「カンタレラ」という毒薬が伝わっていたといわれます。カンタレラは、毒キノコの一種だとも、砒素の一種だともいわれるのですが、その正体ははっきりしません。

チェーザレとその父は、カンタレラによって対立者を消していましたが、あるとき、誤って自らそれを飲んでしまったという説もあります。そして父の教皇は亡くなり、チェーザレも病の床に伏したことが、同家没落の原因となったというのです。文字通り、毒をもって、毒のような人物は制されたのでしょうか。

95箇条の論題

マルチン・ルターが闘志を燃やし続けたワケ

「宗教改革」を英語でいうと、Religious reform。あるいは、単に the Reformation といいます。日本では「リフォーム」といえば家を直すことですが、英語では「教会を立て直す」ことも意味するのです。

15世紀には、前項で紹介したチェーザレ・ボルジアの父のような教皇もいたわけで、ローマ教会は腐敗しきっていました。もちろん、不満に思う者は数多いたのですが、それを公言する者はいませんでした。ローマ教会の権威と神罰を恐れ、誰も公には口にしなかったのです。そのなか、憤然と立ち上がったのが、ドイツの修道士、マルチン・ルターでした。

ルターは単なる修道士ではなく、神学の博士号を持ち、大学で神学や哲学を教える当時の大インテリでした。その彼を憤激させたのは、ローマ教皇のレオ10世が発行した贖宥状（しょくゆうじょう）です。レオ10世はメディチ家出身で、ミケランジェロら芸術家の大パトロンでした。教皇は、サン・ピエトロ大聖堂の再建資金を捻出するため、ドイツで贖宥状を発行することを思いついたのです。

なお、「贖宥状」は以前は「免罪符」と訳されていましたが、今は歴史用語としては「贖宥状」が使われています。ただし、比喩表現としての「○○を免罪符とする」というような言い方は残っています。

贖宥状は、買うと神罰が免除されるという守り札のようなものでした。ルターは、キリスト教の教義上、疑義のあるそんな紙切れを使って資金を集めるローマ教会に抗議するため、1517年、「95箇条の論題」と題する異議書を公表しました。「論題」の中でルターは、「人間は信仰によってのみ救われる」という神学的立場から、贖宥状が無効であると訴えました。この一修道士の抗議をきっかけに、ヨーロッパ中を巻きこむ宗教革命、宗教戦争の幕が切って落とされたのです。

そもそも、ドイツは「ローマ教会の乳牛」と呼ばれるほど、ローマ教会から搾取され続けていました。ドイツでは地方諸侯が乱立し、世俗権力が弱体だった分、ローマ教会が好き放題に資金を集めていたのです。そんななか、ルターの抗議は、多くのドイツ諸侯や民衆の支持を集めました。

１５２１年、ローマ教会はルターを破門しますが、ルターの闘志は衰えることなく、その影響力を拡大し続けます。ルター派とカトリック派の対立は深まり、ドイツは内戦状態に陥ります。新教と旧教の争いは１５５５年、神聖ローマ皇帝のカール５世が「アウクスブルクの和議」に署名するまで、30年間も続くことになります。

大航海時代

この言葉を作ったのは日本人だった

「大航海時代」という言葉は、日本人がつくりました。

英語では、Age of Discovery（発見の時代）というのですが、これは、ヨーロッパの立場に偏った見方。新大陸もアジアも、ヨーロッパ人に「発見」される前から、ずっとそこに存在していたのですから。そこで、１９６３年、岩波書店が歴史叢書を発刊するときに、「大航海時代」という言葉が採用されました。

その「時代」は、ルネサンスや宗教改革と、ほぼ同時期にはじまりました。ヨーロッパ各国は大型船を駆使して、世界の海に乗り出したのです。

その時代がはじまる前、ヨーロッパとアジアを結ぶ東西交易の主導権は、イタリアの商人が握っていました。イベリア半島のポルトガルとスペインは、そこへ割り込みたいと考えたものの、地中海を東へ向かうルートは、イタリアの都市国家におさえられていました。

そこで、ポルトガルとスペインは、アフリカ大陸沿岸を南下し、同大陸の南端を回ってアジアへ向かうルート、あるいは地球を逆回りに回って、アジアに到着するルートを模索します。当時、「地球が球体である」ことは、すでに常識となっていました。

そして、航海者は、国王や貴族の資金をバックに、大西洋へ乗り出します。むろん、国王らが資金を出したのは、経済的な見返りを求めてのことです。アジアから胡椒などの香料を運んでくれれば、莫大な富を手にできるからです。

まず、大航海時代の幕を開けたのは、ポルトガルでした。ポルトガルは、後に「航海王子」と呼ばれるエンリケ王子のもと、アフリカ大陸を南下する航海ルートを探り続け、1418年、最初の探検隊がアフリカ西沖のマデイラ諸島に到達します。１４６０年のエンリケの死後も南下を続け、１４８８年、バルトロメウ・ディアスがアフリカ南端の「喜望峰」に到達。１４９８年には、ヴァスコ・ダ・ガマが喜望峰を回り、悲願のインド到達を果たしました。

この喜望峰回りのインド航路の開拓で、ポルトガルは莫大な利益を得て、人口わずか１５０万人ほどの小国が、大航海時代の最初の覇者となったのです。

その後、スペインの支援を受けたコロンブスが新大陸に到達、またマゼラン艦隊が地球一周を達成するなど、ヨーロッパの船が世界の海を駆けめぐる時代を迎えたのです。

ブラッディ・メアリー

“血まみれのメアリー”は、実際、何をした？

ここで、近世の「イングランド」に目を移します。この本では、１７０７年のイングランドとスコットランドの統合までは「イングランド」、それ以後は「イギリス」と呼ぶことにします。

16世紀半ばのイングランドには、「ブラッディ・メアリー」（血まみれのメアリー）と呼ばれる女王がいました。メアリー1世のことです。

彼女は、イングランド最初の女王でした。「イギリスは女王の時代に栄える」といわれますが、それは彼女の妹のエリザベス1世以降の話。メアリー1世の治世は、彼女の異名に似合う血の雨の降った時代でした。なお、ウォッカにトマトジュースを加えた真っ赤なカクテルを「ブラッディ・メアリー」と呼ぶのも、この新教徒を虐殺した女王の異名に由来します。

彼女はヘンリー8世の娘として生まれ、1553年、女王の座に就きます。当時、37歳の独身で、翌年、スペイン王子のフェリペと結婚しました。

当時のイングランドでは反スペイン感情が強く、この結婚で彼女の人気は急落します。また、カトリック国の出身である夫のフェリペが、「異教徒（プロテスタント）の統治者でいたくない」と言いはじめます。

メアリー自身はカトリックでしたが、イングランドでは、ヘンリー8世が自ら離婚するため、ローマ教会を離れてイギリス国教会を設立、その後、プロテスタント勢力が強くなっていました。カトリック国出身のフェリペは、そんなイングランドを嫌い、メアリーに対する態度も冷たくなっていきました。

メアリーは精神的に追い詰められるなか、「イングランドはカトリックの国である」と宣言し、プロテスタントを迫害、約３００人の新教徒を火あぶりの刑に処します。

その後、メアリー1世は、即位からわずか5年後、42歳で死去します。王位は、腹違いの妹のエリザベス1世へ移ります。

ヴァージン・クィーン

イングランドを大国化させた〝処女王〟の手練手管

エリザベス1世は16世紀、それまでヨーロッパの二流国だったイングランドを一躍、ヨーロッパの主役の座に押し上げた女王です。

彼女は、王族では珍しく、生涯未婚を通したことから、「ヴァージン・クィーン」（処女王）と呼ばれます。ただし、浮いた噂は少なからずあって、隠し子がいたという説もあります。

愛人の一人だったウォルター・ローリー卿は、アメリカに植民地を設けた大貴族で、彼女の異名にちなんで、その植民地を「ヴァージニア」と名づけました。今もアメリカ合衆国の州名として残る地名です。

ここで、彼女の波瀾万丈の人生をふりかえってみます。彼女はヘンリー8世と2番目の王妃アン・ブーリン（いわゆる「千日のアン」）の間に生まれますが、母アンが不貞などを口実に父に処刑されると、「庶子」の立場に落とされます。王位継承権を剥奪され、一時はロンドン塔に幽閉されました。

ところが、父が6度目の結婚で、キャサリン・パーと結婚すると、彼女の人生は大きく変わります。キャサリン・パーは、エリザベスを不遇な環境から救い出し、エリザベスはプリンセスとして復権、高度な教育を受けられるようになりました。

そして、エリザベスは、姉のブラッディ・メアリーこと、メアリー1世が亡くなると、25歳で王位に就きます。

彼女が最初に直面したのは、深刻な宗教的対立でした。父の死後、兄にあたるエドワード6世の時代にプロテスタント化が進んだと思ったら、次の姉のメアリ1世の時代にはカトリックへと逆流していました。両国王の統治期間が短かったため、イングランドは短期間のうちに、宗教問題で激しく揺れ動いていたのです。

エリザベス1世自身はプロテスタントに近かったのですが、政治的には中道路線をとります。これで、イングランドの宗教問題は、対立の根は残しつつも、ひとまず落ち着きます。

一方、外交面では、彼女は、各国の王族からの求婚に対して、思わせぶりな態度をとりながら、かわし続けます。彼女が「私は英国と結婚しました」と発言したのは、その頃のことです。

彼女が他国の国王らと結婚しなかったのは、イングランドの政治的独立を守るためでした。たとえば、スペイン王と結婚すれば、その子はスペイン・ハプスブルク家の血を引くことになり、いずれイングランドは、ハプスブルク帝国の風下に立たされることになってしまうのは必定です。彼女は、そうしたリスクを避けようとしたのです。

内政面では、貨幣を統一して、織物産業や工業を育成。貿易立国を志向し、1600年には東インド会社を設立、イングランドは経済的にも飛躍の時期を迎えました。

世界帝国スペインは、なぜ急速に衰えたのか

太陽の沈まない国

大航海時代、覇権を二分したのは、ポルトガルとスペインでした。両国は1494年、条約を結び、世界を勝手に二分割します。大ざっぱに言って、ポルトガルは地球の東半分をとり、日本を含めたアジア方面に進出。スペインは西半分をとって、おもに新大陸に進出しました。

そうして、スペインは新大陸から大量の金銀を持ち帰り、16世紀後半、ヨーロッパで最も富裕な国にのしあがります。その領土は、スペイン本土から、アメリカ大陸、フィリピン、ネーデルランドなどへ拡大し、1580年にはポルトガルも呑み込みます。

そして、スペインの艦隊は1571年、レパントの海戦（レパントは地中海の東側、今のギリシャ沖）で、オスマン帝国の艦隊を破り、スペインは地中海の制海権も握ります。こうして、スペインは「太陽の沈まない国」（世界中に存在するスペ

イン領のどこかで、かならず太陽が昇っているという意味）と呼ばれる世界帝国を築きました。

しかし、スペインの絶頂期は短く、あっという間に衰退しはじめます。その第一の要因は、対ネーデルランド政策の失敗でした。全盛期の国王フェリペ2世は「カトリックの盟主」を自負し、新教徒の多いネーデルランドに重税をかけ、またカトリックへの改宗を強制しました。

そうした政策に、ネーデルランド側は不満をつのらせ、独立を求めて戦いはじめます。１５８１年には、北部７州が「ネーデルランド連邦共和国」（今のオランダ）として独立を宣言しました。

ネーデルランドを間接的に支援したのが、エリザベス1世のイングランドです。彼女は海賊を保護し、スペインが新大陸から黄金などを運ぶ船を襲撃させたのです。

そして１５８８年、スペインとイングランドの艦隊が直接対決します。フェリペ2世が編成した艦隊は、当時「アルマダ」（スペイン語で「海軍」「大艦隊」の意）と呼ばれていました。「無敵艦隊」とも呼ばれましたが、これはスペイン自身がそう呼んだわけではなく、イングランド側が後に皮肉まじりにそう呼びはじめた名前です。

そのスペインの大艦隊とイングランド艦隊が、ドーバー海峡で激突したのが「アルマダの海戦」です。「アルマダ」は、130の艦船から構成され、2000門の大砲と3万の兵を乗せていました。それに対して、イングランド艦隊は80隻。戦力的には、スペインが優位に立っていました。

ところが、〝無敵〟であるはずのスペイン艦隊は、イングランド艦隊に敗れます。イングランド側の戦死者が100人ほどだったのに対し、スペイン側は4000人。スペインに帰り着いた船は、わずか54隻でした。

この敗戦で、スペインの国力と権威は一気にゆらぎ、衰退の道を歩みはじめます。「太陽の沈むことのない国」スペインは、落日を見ることになったのです。

カリブの海賊

海賊船が〝活躍〟したのは、世界史上どんな時代？

「カリブの海賊」が最盛期を迎えたのは、16世紀末から17世紀にかけてのことでした。その時代、海賊が暴れまわれたのは、イングランドをはじめとする国家の後ろ盾があったからです。

当時、カリブの海賊の一部は、事実上、各国海軍の「別動隊」として、汚れ仕事を引き受けていました。その時代は、スペインが新大陸の大部分とカリブ海の島々をおさえ、本国へ金銀などを運んでいました。イングランドをはじめとするいくつかの国は、海賊がスペイン領やスペイン船を襲撃することを黙認していたのです。「私略船特許状」という許可状を発行して、海賊行為を公認することもありました。

そのように、国家を後ろ盾にして、スペイン船を襲う海賊は、「バッカニア」と呼ばれました。一方、私的に略奪を行う海賊は、「パイレーツ」と呼ばれました。

バッカニアが拠点としていたのは、今のジャマイカの「ポート・ロイヤル」という町でした。その港町は、もとはスペイン領でしたが、17世紀半ばにイギリスが攻略、町に海賊が溢れるようになりました。むろん、イギリスはそれを取り締りませんでした。彼らにスペイン船を襲わせ、略奪品の一部を懐に入れるためでした。

なお、この町は、1692年の巨大地震で津波に呑み込まれ、跡形もなくなりました。

ピューリタン革命

そもそもピューリタンとはどういう人たち？

ピューリタン（清教徒）革命は、１６４１年から49年にかけて、イングランドで起きた革命です。ちょうど、カリブ海でバッカニアが暴れまわっていた時代と重なります。

「ピューリタン（puritan）」とは、purity（清らかさ、純粋さの意）に由来し、イングランド国教会の改革を唱えたプロテスタント系の人々を指す言葉です。

同革命では、国王の首がはねられました。１６４９年1月27日、英国王チャールズ1世に対して、裁判で死刑が宣告され、３日後、王は処刑されたのです。

国王の首が飛ばされるまでの事態に至った背景には、むろん王の暴政がありました。チャールズ1世は「王権神授説」を信奉し、議会やピューリタン勢力を無視した政治を行ったのです。

顚末をふりかえると、エリザベス1世が未婚を通したため、彼女が亡くなると、王位継承者がいなくなりました。そこで、継承権を持つスコットランド王がジェームス1世として即位、さらにそのあとを息子のチャールズ1世が引き継ぎました。ところが、この王は、側近や大商人に特権を与える一方、商工業者（ブルジョワジー）の権益を制限しました。そうして、商工業者の代表者が多い議会勢力と対立することになったのです。なお、イングランドで議会が成立したのは１２９５年のこと。この時点ですでに３００年以上の歴史がありました。

議会は１６２８年、「議会の請願」を採択し、国王に抗議します。これに対して、王は議会を解散、指導者を投獄し、さらに改革派の多いピューリタンに弾圧を加えました。これで、各地で反乱が起きはじめます。

王は、その反乱を鎮めようと、やむなく戦費調達のための議会を開きます。しかし、これが裏目に出て、議場は国王への批判一色となりした。そして、ついに王党派と議会派の間で、内戦が勃発することになったのです。

戦況は、当初は王党派が優勢でしたが、清教徒の指導者、オリヴァー・クロムウエルの活躍で、形勢は逆転。王は議会派に投降して、裁判にかけられ、処刑されたのです。

ピューリタン勢力が王権力を倒せたのは、クロムウェルの軍事的才能によるところが大きかったといえます。彼は議会軍を鍛え上げ、その精鋭は「鉄騎兵」と呼ばれました。その精鋭を中心に据えることで、国王軍を撃破したのです。

その後、クロムウェルは、軍の力をバックに、議会内の穏健派を排除、終身の「護国卿《ごこくきょう》」という独裁的な地位に就きます。

しかし、彼の独裁は、国民の反発を招き、議会勢力の穏健派が国民の支持を背景に巻き返し、クロムウェルを破って処刑します。1660年、王政復古が行われ、イギリスの王のいない時代は短期間に終わり、ピューリタン革命は未完に終わりました。

名誉革命

この〝クーデター〟が「名誉」の名に値する理由

「名誉革命」は、英語では、Glorious Revolution。Glorious はふつう「栄光ある」と訳されますが、「名誉ある」という意味もあることから、日本では「名誉革命」

と訳されることになりました。

さて、ピューリタン革命が未完に終わると、王政復古し、チャールズ1世の子供が、チャールズ2世として即位します。彼は、クロムウェルという中心を失ったピューリタンを迫害します。

その跡を継いだ弟のジェームス2世も、熱心なカトリック教徒で、英国国教会のいっそうのカトリック化を進めるため、それに反対する議会を解散します。これで、再び、国民の反国王感情が高まります。

そして、議会の2大勢力だったホイッグ党とトーリー党が手を結んで、打倒ジェームス2世を画策します。トーリー党はもともと王権派だったのですが、議会を解散させられたことで、ジェームス2世に見切りをつけ、「敵の敵は敵」の定理どおり、ホイッグ党と結託したのです。こうして、後世「名誉革命」と呼ばれるクーデターがはじまりました。

両党が国王打倒の旗頭に選んだのは、オランダ総督のオラニエ公ウィレムでした。彼は、チャールズ1世の娘メアリを母に持ち、王位を継承する資格があったのです。

1688年、ウィレム率いる軍勢1万2000名がイングランド南西部に上陸します。議会勢力が歓呼の声で迎えると、ジェームス2世は戦うことなく、フランスへ逃亡しました。こうして、ほぼ流血を伴うことなく、革命が達成されたことから、この革命を「名誉革命」と呼びます。

その後まもなく、議会は、法と自由の保全を記した「権利宣言」を採択。その宣言を受け入れることが、ウィレムの即位の条件になりました。ウィレムはこれに署名し、それをもとに生まれたのが「権利の章典」です。この文書は、後世の立憲君主制の原典となりました。

君臨すれども統治せず

英語を話せない英国王をフォローするための言葉

ウィレムがウィリアム3世として即位、「権利の章典」が発布されたことで、王は、議会の同意抜きに、課税や法律の執行、あるいは停止できないなど、現代に至る「議会制民主主義」の基礎ルールが固まりました。

さらに、新国王は、議会で多数を制した政党に内閣を組織させて、政治を担当させることにしました。こうして、今に続く「政党政治」、そして「議院内閣制」がはじまりました。

ウィリアム3世が1702年、落馬事故がもとで亡くなると、妻の妹のアンが即位。その統治時代に、イングランドとスコットランドが合併して、大ブリテン連合王国が成立します。本書では以後、この国のことを「イギリス」と呼びます。

その後、アン女王に後継者がいなかったので、ドイツ貴族のハノーヴァー選帝侯が、ジョージ1世として迎えられました。彼は、1世紀ほど前の国王ジェームス1世のひ孫にあたっていたのです。このドイツ貴族が、現イギリス王室の祖となります。ところが、新王のジョージ1世はすでに54歳と、当時としては高齢だったうえ、ドイツ出身のため、英語をほとんど話せませんでした。しかも、イギリスの統治に関心はなく、ほとんどドイツで暮らしていました。閣議に出席することも、ありませんでした。

この事態に、イギリスの要人たちは、国王抜きで政務をすすめる方法を考え出します。議会で多数を占める政党の党首を「閣議の主宰者（＝首相）」に選ぶことにしたのです。最初の首相になったのは、ホイッグ党のロバート・ウォルポールでした。

こうして、王の代わりに、事実上、首相と内閣が議会に対して政治の責任を負うことになりました。今に続く「責任内閣制」は、英語の話せない英国王の登場によって、成立したといえます。ただ、首相と内閣だけで政治を行うと、国王の存在価値がなくなってしまいます。そこで、考え出されたフレーズが「国王は君臨すれども統治せず」。この名文句によって、国王の権威が守られることになりました。

朕は国家なり

フランス絶対王政を象徴する名フレーズの読み解き方

「朕は国家なり」は、太陽王ルイ14世の言葉とされるフランス絶対王政を象徴するフレーズです。フランス語では、「レタ・セ・モア」と発音する簡潔な名セリフです。

イングランドで内乱と革命が続いていた17世紀、フランスでは絶対王政が確立し、ルイ14世（在位1643～1715）が君臨していました。ブルボン朝の最盛期の国王です。

彼はわずか4歳で即位したので、当初はマザラン枢機卿が実権を握っていましたが、王は22歳頃から親政をはじめ、経済面では重商主義政策を推し進めます。その政策で重要な役割を果たしたのが、財務総監（財務大臣）のコルベールでした。彼は産業を奨励して、自国品を積極的に輸出。フランス東インド会社を設立して、植民地経営を推進します。現在のアメリカのミシシッピ川流域を占領し、ルイ14世の名にちなみ、「ルイジアナ」と名づけます。当時のルイジアナは、今のアメリカのルイジアナ州よりもはるかに広い地域でした。

その一方、ルイ14世は軍制を改革、ヨーロッパ最大の常備軍を編成し、さまざまな戦争に介入します。また、ヴェルサイユ宮殿を建設し、豪奢な生活を送ります。むろん、多数の戦争に介入し、国王が贅沢な宮廷生活を送れば、財政は窮迫します。さらに、プロテスタントを迫害したため、商工業の担い手が国外へ脱出して、国内経済はしだいに行き詰まっていきます。

太陽王の治世、とりわけその後半は、後のフランス革命につながる経済的・社会的な矛盾の準備期間だったともいえます。

幸せなオーストリアよ、汝は結婚せよ

片田舎の小貴族が大帝国を築くまで

ハプスブルク家は、近世から近代にかけて、中央ヨーロッパを支配した超名門王家です。しかし、中世までは、現在のスイスに領地を持つ小貴族に過ぎませんでした。その名、ハプスブルクとは「鷹の城」という意味で、「山城」を意味します。

その田舎貴族がヨーロッパ屈指の名門になるきっかけが、1273年に訪れます。当時のドイツでは、「選帝侯」と呼ばれた有力諸侯が、まず「ドイツ王」を選び、そのドイツ王がローマ教皇から戴冠されて「神聖ローマ皇帝」の座に就くという手順になっていました。

「神聖ローマ皇帝」は、当時すでに一種の「名誉職」になっていたのですが、それでも権威ある地位です。その座に、地方の一領主にすぎないハプスブルク家の当主ルドルフが選ばれたのです。今でも、よくある話ですが、有力者同士が牽制し合う

なか、毒にも薬にもならない（と思われる）無難な人物が選ばれるというパターンでした。

ともあれ、そうした経緯で、同家は、ヨーロッパ史の表舞台に立つことになりました。その後、同家では有能な当主が続き、じょじょに勢力を拡大、１３８６年にはウィーンに本拠地を移し、１４３８年以降は神聖ローマ皇帝の座を独占するようになりました。その後、同家は、オーストリア大公国、スペイン王国、ナポリ王国、トスカーナ大公国、ボヘミア王国、ハンガリー王国、オーストリア帝国などの国王、大公を輩出します。大航海時代の全盛期のスペインも、スペイン・ハプスブルク家によって統治されていました。

同家は、以上のような広大な領地を戦争で勝ち取ったわけではありません。ほとんどの領地は「政略結婚」によって手に入れたものです。「戦争は他家にまかせておけ。幸せなオーストリアよ、汝は結婚せよ」という言葉が、ハプスブルク家の方針をよく表しています。

たとえば、15世紀の王マクシミリアン1世は、自身の結婚で、ネーデルランドを獲得。息子の嫁にスペインの王女を迎え、やがて自分の孫をカルロス1世として、スペイン王に就けます。それが、スペイン・ハプスブルク家のはじまりです。

また、マクシミリアン1世は、孫のフェルナンドとマリアをともに、ハンガリーのヤギュウォ家の子供と結婚させます。そうして、ハンガリーとボヘミアの王位継承権を得てやがて戦わずして、ハンガリーとボヘミアを手に入れます。

他にも、同家の子供たちをヨーロッパ中の王家や大公家に送りこんだため、ハプスブルク家はほとんど戦うことなく、ヨーロッパのほぼ半分を手中におさめたのでした。

しかし、19世紀以降、同家は「幸せな結婚」を忘れ、さまざまな戦争に加わります。そして普墺《ふおう》戦争、第一次世界大戦などに負け続け、国土の大半を失い、同家は国王の座を追われることになるのです。

帝冠をつけた娼婦

権力と愛欲の中で生きたエカテリーナ2世

「帝冠をつけた娼婦」とは、エカテリーナ2世の異名です。辛口の歴史家がつけた

エカテリーナ２世

名のように思えますが、そう酷評したのは、彼女の孫のニコライ1世でした。それほど、彼女の男性関係は派手だったようです。なお、ニコライ1世自身は、19世紀半ばのロシア皇帝で、「ヨーロッパの憲兵」と呼ばれた堅物でした。

さて、エカテリーナ2世は、18世紀後半の女帝ですが、もともとはロシア人ではありませんでした。ドイツ貴族の出身で、ロシア大公のピョートル（後のピョートル3世）と結婚、その17年後の1762年、近衛軍と手を結んで、夫をロシア皇帝の座から追い落とし、自ら即位しました。

彼女は、政治・外交に卓抜した手腕を発揮し、彼女の統治時代、ロシアは黒海沿岸まで領土を広げ、人口は2倍になりました。後進国だったロシアを一躍ヨーロッパ列強の一角に押し上げた女帝だったといえます。

その一方、彼女が浮き名を流すようになったのは、夫を追放してからのことです。まず、政治家で軍人のグレゴリー・ポチョムキンに夢中になります。エカテリーナの寝室と、彼の部屋は秘密階段でつながれ、ポチョムキンはパジャマ姿で彼女の寝室へ出入りしていたと伝わります。

ポチョムキンとの関係は約17年間続いたといわれますが、やがてエカテリーナはより若い男性に興味を示します。すると、ポチョムキンは、自ら女帝の相手を探す役目を買って出ます。彼はそうすることで、宮廷内での地位を維持しようと考えたようです。

ポチョムキンは「候補者」を集めると、医者の診察を受けさせて健康をチェック、そのうえで性格や教養を審査して候補者を絞ったうえで、最後に女帝自身に選ばせるという「寵臣選び」のシステムを確立しました。

メイフラワー号の誓い

植民地の建設者たちは、何を誓ったのか

メイフラワー号は1620年、ピルグリム・ファーザーズが、イングランドから新天地のアメリカへ渡ったときの船の名です。同船には、102人の乗客と30人弱の船乗りが乗っていました。

そのピルグリム・ファーザーズとは、英国王のジェームス1世の弾圧から逃れるため、アメリカに渡ったピューリタンのこと。Pilgrimとは巡礼者という意味です。

ここで、アメリカの植民地の歴史をふりかえると、1492年、コロンブスが新大陸に到達して以来、ヨーロッパから新大陸への移住がはじまりました。イングランドも新大陸の植民地争いに食い込み、17世紀初頭、エリザベス1世の時代、今のアメリカに植民地を建設します。

その植民地名のヴァージニアが、彼女の別名「ヴァージン・クィーン」にちなんでいるのは、前述したとおりです。

その後、スチュアート朝の時代に、迫害を受けたピューリタン（清教徒）が新大陸に移り、移民の数はじょじょに増えていきます。そのうち、最も有名なのが、このピルグリム・ファーザーズと呼ばれるピューリタンたちです。彼らはメイフラワー号に乗って、イングランドのプリマス港から新大陸のニュー・プリマスに渡りました。

彼らがメイフラワー号の中で取り交わした誓約は、「メイフラワー号の誓い」や「メイフラワー誓約」などと呼ばれる、社会契約説にもとづく政治的合意でした。部分的には、アメリカ憲法の精神の基礎になったといわれます。

その後も、ピューリタンをはじめとする移住が続きますが、彼らはしだいに先住民と対立。その土地を奪いとりながら、また感染症を持ち込んで先住民の命を奪いながら、植民地を広げていくことになります。

フリーメーソン

歴史上もっとも名前を知られた秘密結社の実像

歴史上、数ある秘密結社のなかでも、最も「有名」なのは、このフリーメーソンでしょう。今なお、さまざまな陰謀説に登場します。

その起源をめぐっては、諸説あるのですが、有力とされるのは、中世の石工の組合を起源とする説です。メーソンとは「石工」という意味であり、ヨーロッパ各国の建築事業に従事して、諸国を往来していた石工たちが、互助組織として作ったのが、この組織の起源とみられます。

１７１７年、その組織が、イギリスで近代的な姿に組織されます。その後、フリーメーソンは博愛、自由、平等を掲げてヨーロッパに広まり、１７３３年の時点で、ロッジ（支部）の数は１２６にのぼっていました。

その後、歴史が大きく変わるとき、フリーメーソンが暗躍しているという陰謀説が繰り返し流布されてきました。たとえば、アメリカ独立戦争、フランス革命、ロシア革命は、いずれもフリーメーソンが仕組んだものという説が流れました。

たしかに、フランス革命の中心人物だったロベスピエール、ダントン、マラー、アメリカ独立戦争の中心人物のワシントン、ジェファーソン、フランクリンらは、いずれもフリーメーソンの会員だったとみられています。

むろん、そうした説の信憑性は低いのですが、今もさまざまなフェイクニュースで、秘密結社めいた組織が主役をつとめるパターンは、このフリーメーソンをめぐる陰謀史観が原型になったことは間違いありません。そういう意味でも、この秘密結社は現代にまで影響力を残しているといってもいいでしょう。

Chapter6　近代

「歴史は繰り返す。
一度目は悲劇として、
二度目は喜劇として」
…マルクスの意図は？

代表なくして課税なし

植民地が大英帝国に歯向かった「税金問題」の顚末

アメリカでは18世紀前半、13の植民地（後の独立13州）が成立し、人口100万人を超えていました。18世紀後半から、イギリスは植民地への課税を強化しはじめます。イギリスは、北米を舞台にしたフレンチ-インディアン戦争（1754～63）の戦費で、1億3000万ポンドの借金を背負ったので、その一部を植民地に負担させようと、さまざまな課税を試みたのです。

当然、植民地側は不満を抱きます。1765年の「印紙法」をめぐっては、政治家のパトリック・ヘンリーが「代表なくして課税なし」（英国本国の議会に代表を出していないのだから、課税もされない）と唱え、それをスローガンに、大規模な反対運動が展開されました。

しかし、イギリスは耳を貸そうともしませんでした。両者の緊張は高まり、1773年に「ボストン茶会事件」が起きます。その発端は、経営難に陥っていた東インド会社を救うため、同社に、植民地で茶を無税で販売できるという特権的な権益を与える法律がつくられたことでした。

むろん、植民地にとって、そのような特権的な業者の出現がうれしいはずがありません。同年12月、ボストンの急進派が、東インド会社の商船3隻を襲撃、紅茶を海に投げ捨てました。なお、この一件は、アメリカが紅茶ではなく、〝コーヒー党〟の多い国になるきっかけにもなりました。

この襲撃に対して、イギリスは、ボストン港を閉鎖するなどの強硬策に出ます。本国と植民地の対立はいよいよ激しさを増し、事件の翌々年の1775年、ついに独立戦争がはじまりました。

植民地側はフィラデルフィアで会議を開き、ジョージ・ワシントンを最高司令官に任命します。そのとき、組織されたワシントン軍は1万2000人。対するイギリス軍は3万人でした。ワシントン軍は、自前の銃を持って集まった農民や商人たちの集団であり、数でも装備でも優るイギリス軍が勝って当たり前の戦いでした。

じっさい、ワシントン軍は1776年、ニューヨークで大敗。翌1777年には、フィラデルフィアの奪還に失敗するなど、敗戦を重ねます。それでも、兵士たちの士気は落ちるどころか、むしろ高まりました。

一方、イギリス軍には、ドイツから送られた傭兵が含まれていました。彼らには、領主に命じられ、無理やり兵士にさせられた農奴が多かったため、志気が上がるはずもありませんでした。

加えて、植民地軍の奮戦ぶりを見たフランス、スペイン、オランダが1780年までにアメリカ側と同盟し、義勇兵が多数駆けつけるようになりました。

そして、植民地側は1781年、ヨークタウンのイギリス軍を包囲・降伏させます。これで、植民地側の勝利は決定的となり、1783年に結ばれたパリ条約で、アメリカは独立を達成しました。「ボストン茶会事件」からちょうど10年後のことでした。

テニスコートの誓い

フランス革命は、こうしてはじまった

アメリカが独立を勝ちとったころ、それを支援したフランスでは、いつ革命が起

きてもおかしくない情勢に陥っていました。アメリカの独立戦争に20億ルーブルという莫大な援助をした結果、国庫が火の車になっていたのです。

それ以前から、旧体制（アンシャン・レジーム）に対する民衆の不満は高まっていました。革命前のフランス社会では、第一身分（聖職者）と第二身分（貴族）が無税などの特権を持ち、その一方、第三身分の平民は納税しているのに、政治に参加できませんでした。

そうした体制に対する不満は、１７８８年、凶作によるパンの値上がりで、ピークに達しました。俗説ではありますが、王妃マリー・アントワネットが「パンがなければ、お菓子を食べればいいのに」といったとされるのは、この頃のことです。

そんな状況の１７８９年、国王ルイ16世は税収アップを狙って、長らく開かれていなかった「三部会」（三つの身分の代表者で構成される会議）の開催を決めました。

しかし、この判断は完全に悪目に出ます。特権身分側が自分たちに有利な議決方法を要求したことから、第三身分は単独で「国民議会」の結成を宣言したのです。国王が、これに議場閉鎖で対抗すると、第三身分は、議場に隣接する球戯場（これが「テニスコート」と通称されます）に集まり、「憲法制定まで、会議を開き続ける」ことを宣言します。これが、フランス革命へとつながる「テニスコートの誓い」です。

政府がそうした動きを弾圧しようとすると、平民の怒りは火を噴き、7月14日、バスチーユ監獄（当時はおもに火薬庫として使用されていました）を襲撃します。これをきっかけに、騒乱は全国へ飛び火、平民たちは領主の館などを襲撃、借用書を焼き払ったりしました。「フランス革命」が火蓋を切ったのです。

そして、国民議会は「人権宣言」を採択、封建的特権の廃止を決定します。それとともに、ラファイエットを総司令官とする平民軍が動きはじめ、事態は武力革命の様相を呈してきました。

91年には、国王一家が国外逃亡を図るも失敗（ヴァレンヌ逃亡事件）。92年、マリー・アントワネットの祖国オーストリアとの戦いがはじまると、王妃はオーストリアと内通して国民を裏切ります。こうした一連の行動で、国民を失望させた王と王妃は、ギロチンにかけられました。

その後、革命は、ジャコバン派の恐怖政治、その中心人物だったロベスピエールの処刑など、混乱を重ねます。対外的には、革命の影響を恐れるイギリスなどが対仏大同盟を結成。フランスは軍事的脅威にさらされました。

するとと、国民は強いリーダーを求めるようになり、それを背景にして、1799年、ブリュメールのクーデターによって、ナポレオン・ボナパルト将軍が実権を掌握します。彼は、執政政府を樹立して独裁権を握り、やがて皇帝の座につきます。

こうして、フランス革命は、ナポレオンに乗っ取られ、フランスは「第一帝政」と呼ばれる時代に入ります。

ナポレオン法典

ナポレオンのつくった民法典が世界に与えた影響は？

前項で述べたように、フランス革命は、過激化・内ゲバのあげく、ナポレオンに乗っ取られました。ここで、彼の人生をふりかえってみましょう。

後の皇帝は1769年、コルシカ島の下級貴族の家に生まれ、パリの士官学校を卒業して軍人になります。革命の時代とあって、27歳の若さでイタリア遠征軍司令官に抜擢されると、翌1797年、北イタリアでオーストリア軍を屈服させ、第1回対仏大同盟を崩壊させるという軍功をあげました。

さらに、ナポレオンはエジプトにまで遠征します。イギリスとインドの通商ルートを断つためでした。しかし、その遠征では、フランス艦隊がイギリス艦隊に敗れたため、ナポレオンはエジプトに封じ込められることになります。

その後、イギリスが第2回対仏大同盟を結成すると、ナポレオンは急いで帰国。対外的に無力な総裁政府をクーデターによって倒し、3名からなる統領政府を立て、自ら第一統領の座につきました。

そして、冬のアルプスを越えて、再度オーストリアを破り、イギリスとは和約を結んで、第2回対仏大同盟を崩壊させます。

こうして、政治的権力を掌握したナポレオンは、国内制度の整備に着手し、中央集権制を整え、「ナポレオン法典」の作成に着手します。それは、フランス革命の精神を受け継いだ民法典で、1804年に制定されました。

同法典は、万人の法の前の平等、信教の自由、経済活動の自由など、近代的な価値観を取り入れた初の成文法でした。その法体系は、文明開化後の日本を含め、世界中の国々の法体系に影響を与え、フランスでは今なお、その大半が現行法として使われています。

そうした戦勝と政策によって、ナポレオンは国民から絶対的な支持を集め、同年、国民投票によって皇帝の座に就き、以後、ナポレオン1世として、帝政を開始します（第一帝政）。

そのナポレオンの勢いに対して、イギリスは第3回対仏大同盟を結成すると、ナポレオンは、大陸とイギリスの通商を禁じるベルリン勅令（大陸封鎖令）を発し、さらにスペインやポルトガルも占領して、ヨーロッパ大陸の大半を支配下に置きました。

しかし、そうしたナポレオンの侵略は、ヨーロッパ中の恨みを買い、各地で抵抗運動が激化することになります。ナポレオンが最も手を焼いたのは、スペインの「ゲリラ」です。「ゲリラ」はもとは「小さな戦争」を意味するスペイン語で、そこから今のような「正規軍ではない遊撃的な戦闘部隊」を指す言葉になりました。

そして1812年、ロシア遠征に大失敗、1814年、ヨーロッパ連合軍に囲まれて失脚、地中海のエルバ島に流されました。

英雄が歴史の表舞台から降りるとき

百日天下

ナポレオンは、ロシア遠征の失敗で失脚、エルバ島に追われていましたが、早くも翌年の1815年3月、同島を脱出し、皇帝の座に返り咲きます。それが、ナポレオンの「百日天下」のはじまりです。

ヨーロッパ諸国は、次項で述べるウィーン会議の最中でしたが、会議を中断、イギリス、プロイセンが中心になって、対仏連合軍を結成します。そして、ナポレオン軍と連合軍は、ベルギー領内の「ワーテルロー」で激突します。

戦いは、次のように進みました。まず、ワーテルローの戦いの2日前、フランス軍は、英独両軍が集結しないうちに、敵の個別撃破を狙って、プロイセン軍と戦います。ナポレオンは、退却するプロイセン軍を配下の将軍に追撃させますが、振り切られてしまいます。そして、6月18日の決戦の日、前日からの雨で、地面はぬかるんでいました。それでは、ナポレオンが得意とする砲兵隊を思うように使えないため、彼は戦闘開始を昼まで延ばすことにしました。

この消極的な判断が、ナポレオンの命取りになりました。イギリス軍は、友軍のプロイセン軍の到着を待っていたのです。正午過ぎ、戦闘がはじまります。ナポレオンは、騎兵に左翼からの突撃を命じますが、失敗。一進一退の攻防のあと、夕刻、プロイセン軍が到着、これで大勢は決しました。イギリス軍との戦いで疲れきっていたフランス軍は、新手の敵の出現に総崩れとなったのです。2日前、プロイセン軍を追撃しきれなかったことが、ここで命取りになりました。

こうして、ナポレオンの「百日天下」は終わりました。ナポレオンは、大西洋の絶海の孤島セント・ヘレナに流され、歴史の表舞台から完全に姿を消し、同島で生涯を終えることになりました。

会議は踊る

ナポレオン後のヨーロッパ地図はどう決まった？

1814年のナポレオンの1回目の退位後、戦後処理をめぐる会議がオーストリアの首都ウィーンで開かれました。史上空前の国際会議、「ウィーン会議」です。ウィーン会議の基本的なコンセンサスは、「可能なかぎり、フランス革命以前の状態に戻す」という超保守的なもので、その方針は「正統主義」と呼ばれました。

議事は、オーストリアの外相・メッテルニヒを中心に進められましたが、各論で各国の利害が衝突。連日のように舞踏会は催されたものの、肝心の全体会議は開かれず、大国間の裏取引ばかりが繰り広げられることになりました。

その裏取引さえなかなか進まず、会議はいたずらに長引くことになったのです。そこから生まれたのが、「会議は踊る、されど進まず」という言葉です。フランス全権だったタレーランの言葉だとも、メッテルニヒの秘書の言葉ともいわれます。むろん、同会議が、「ワルツ」の盛んなウィーンで開かれたことにかかっています。

そうして会議が長引く間に、ナポレオンがエルバ島を脱出し、再起したことは前述したとおりです。ウィーン会議は一時中断し、ナポレオンを再び倒したあと、ようやく話が進みはじめ、ウィーン議定書が締結されました。

そのような経過で築かれた反動的な体制を「ウィーン体制」と呼びます。

具体的には、まずフランスは、各国がブルボン王朝の復活を認め、処刑されたルイ16世の弟、ルイ18世が即位しました。ドイツでは、ナポレオンが作ったライン同盟が解体され、新たにドイツ連邦が成立しました。ロシアは、ポーランドとフィンランドを事実上支配下において、勢力を拡大。オーストリアは、北イタリアに領土を拡大しました。イギリスは、スリランカ・ケープ両植民地の領有を認められました。ちなみに、スイスが永世中立国と認められたのは、この会議のときのことです。

しかし、そのような反動的な体制を築いたものの、もはや時計の針をもとに戻すことはできませんでした。各国の市民たちは、すでにフランス革命とナポレオン時代の空気を肺いっぱいに吸って、自由や平等を原理とする考え方があることを知っていました。以後、各国民の間から、民主的な議会、自由な経済を求める突き上げが続き、反動的な体制は脅かされ続けることになります。

諸国民の春

二月革命が各国に「春」をもたらした

まず、1830年、フランスで「七月革命」が起きます。これは、パリで起きたブルジョワ革命で、ブルボン朝のシャルル10世（ルイ16世、18世の弟）が倒され、オルレアン家のルイ＝フィリップが即位しました。なお、「七月革命」は「しちがつかくめい」と読むのが決まりです。「ななかつ」ではありません。

さらに、その18年後の１８４８年、「二月革命」が起きます。この項では、この革命を中心にお話しします。

当時のフランスでは、物価高騰、食料不足は相変わらずで、民衆は「七月王制」に対しても不満をつのらせていました。依然、選挙権を与えられていなかった庶民は、普通選挙運動を展開します。１８４８年、政府はその運動を弾圧し、政府軍とパリ市民が激突、市街戦へ発展します。２日間の戦闘で、反政府派が勝利、国王ルイ＝フィリップは退位に追い込まれました。こうして、政治家であり詩人でもあったラマルチーヌを首班とする臨時政府が生まれ、二月革命が達成されました。

臨時政府には、労働者の代表や社会主義者も加わり、労働者を保護する政策がとられました。さらに、21歳以上の男子の普通選挙法が成立し、また出版や言論の自由が保障されるなどの民主主義的、自由主義的な改革が急速に進みました。

この二月革命は、ヨーロッパ全体に大きな影響を与えます。オーストリアでは、二月革命に刺激されたウィーンの市民が蜂起、ウィーン体制の中心人物だったメッテルニヒを亡命に追い込みます。

プロイセンでは「三月革命」が起き、国王がドイツの統一と憲法制定を約束させられました。こうして、反動的な「ウィーン体制」は崩壊しました。

また、ハプスブルク帝国内を中心に、被抑圧民族のナショナリズムが高揚し、各地で独立運動が起きたことを「諸国民の春」と呼びます。しかし、その秋に弾圧され、この時点での独立はなりませんでした。

一方、フランスでは、やがてブルジョワ派と社会主義派が対立し、社会主義の台頭を恐れた人々は、ナポレオン1世の甥であるルイ・ナポレオンを大統領に選びました。そして、革命は再びナポレオンの血統によって乗っ取られることになります。

クリミアの天使

敗れたロシアへの意外な影響

二月革命の余熱がさめやらぬ1853年、「クリミア戦争」が勃発しました。

その発端は、ロシアの南下政策です。ロシアは、オスマン帝国内のギリシア正教徒の保護を口実にして、トルコに戦争を仕掛けたのです。

当時のトルコは、ロシアのニコライ1世が「トルコは瀕死の病人である」と語ったように、軍事的にも経済的にも弱体化していました。産業革命、そして近代化に立ち遅れたうえ、支配下の諸民族の独立運動が激化していたからです。

ロシアは、そうしたトルコの「病状」を見計らって、戦いを仕掛けたのですが、イギリスとフランスが、ロシアの南下を防ぐため、トルコ側で参戦。ロシアは逆にトルコ・英・仏連合に追いつめられることになりました。

そして、英仏軍が、クリミア半島のセバストポール要塞を奪うと、ロシアの敗北は決定的となります。その攻防戦は1年近くにおよぶ激戦となり、両軍とも多数の死傷者を出しました。

そのさい、敵味方なく負傷者を看護したのが、白衣の天使・ナイチンゲールでした。イギリス軍の従軍看護婦だった彼女は、献身的な看護が「タイムズ」紙に掲載されたことを機に、「クリミアの天使」と呼ばれるようになりました。

結局、1856年、ロシアは敗れますが、その敗因は、英仏との技術力の差でした。たとえば、英仏軍は新式のライフル銃を装備していたのに、ロシア軍は旧式の滑腔銃を使い、また大砲の射程は2倍も違いました。ロシアの軍事力は、産業革命を達成した英仏に、大きく水を開けられていたのです。

この戦争に敗れたロシアは、以後、暗殺事件が頻発するなど、政情が不安定になり、農奴解放など、近代化にむけた改革に着手せざるをえなくなりました。しかし、それも中途半端に終わり、革命勢力がうごめきはじめます。

歴史は繰り返す。一度目は悲劇として、二度目は喜劇として

マルクスの意図はどこに？

まず、「歴史は繰り返す」というフレーズは、古代ギリシャの歴史家ツキディデス、あるいはローマの歴史家ルーフスの言葉とされます。

そして、「歴史は繰り返す」のあとに「一度目は悲劇として、二度目は喜劇として」と続けたのは、『資本論』を著したカール・マルクスです。ナポレオン3世の政治運営に関する考察をまとめた論文で、伯父のナポレオン1世と同様に、クーデ

ターで実権を握ったルイ・ナポレオン（後のナポレオン3世）をこう評したのです。

では、ナポレオン3世は、どのようにフランス史をかき回したのでしょうか？

ルイ・ナポレオンは、二月革命後の選挙で選ばれ、大統領に就任。彼は、伯父の根強い人気を背景に、総投票数の74％を獲得するという圧倒的支持を受け、第二共和制の初代大統領となりました。1851年にはクーデターを起こし、翌年、伯父と同様に、国民投票を経て第二帝政を開始し、ナポレオン3世と名乗ります。ちなみに、「ナポレオン2世」は1世の息子で、若くして亡くなっています。

今に残る彼の業績は、パリの市街地を大改造したこと。現在のパリの街並の骨格は、そのとき作られたもので、その大改造によってパリの街は清潔になり、物流機能も大幅に改善されました。ただ、彼の都市改造の動機は、道路を広げれば、市民がバリケードを作れず、革命運動を起こしにくくなるだろうというものでした。

その一方、対外的には、彼は、大英帝国への対抗心から、世界中をひっかき回すような外交を行いました。まず、前述したように、クリミア戦争に、オスマン帝国を支援して参戦、イギリスとともにロシアを破りました。その2年後には清とアロー戦争を戦い、屈服させます。幕末の動乱期の日本へも干渉し、薩長同盟を支援したイギリスに対抗して、徳川幕府に肩入れしたのも、彼の時代のフランスです。

さらに、アメリカ大陸へも進出、アメリカが南北戦争中で手が回らない隙を突いて、弟をメキシコ皇帝の座に就けました。しかし、メキシコ国民の猛反発を受けたうえ、アメリカからも大反対され、最終的には撤退せざるをえませんでした。

この失敗で、ナポレオン3世は窮地に陥ります。国民の支持を失った彼は、いちかばちか、1870年にプロイセンの挑発に乗って戦争を仕掛けます。しかし、この普仏戦争では、序盤からいきなり劣勢となり、自ら出陣するものの、プロイセン軍の捕虜になるという惨敗を喫しました。

彼は退位、イギリスへ亡命し、フランスの第二帝政は崩壊しました。

血の一週間

市民の自治政府はどのように敗れたか

パリ・コミューンは1871年、パリで生まれた史上初の「プロレタリアート独裁」を宣言した自治政府。コミューンとは「自治政府」という意味です。

話をすこし戻すと、ナポレオン3世が普仏戦争に敗れたあと、後を継いだフランスのティエール臨時政権は、ドイツとの間に、アルザス・ロレーヌ地方の割譲などを含む屈辱的な仮講和条約を結びます。パリ市民、とりわけ労働者は、これに反発して蜂起。自治政府であるパリ・コミューンを成立させます。ティエール政権は存続していたので、フランスには二つの政府が生まれたことになります。

パリ・コミューンの議員は選挙で選ばれ、彼らは短期間のうちに、教会と国家の政教分離、義務教育の無償化、女性参政権など、次々と斬新な政策に着手します。そのような自治政府の動きは、フランスのティエール政権、そして戦勝国のドイツに対して大きな脅威になりました。ドイツのビスマルクは、フランス軍の捕虜を解放し、ティエール政権によるパリ・コミューンつぶしを支援します。

こうして、パリ・コミューンと、ティエール政権との間で、市街戦がはじまりました。数の上でも装備の上でも不利なコミューン兵士は、敗北。コミューン兵は、捕らわれた者まで、政府軍によって銃殺されました。このフランス人同士の戦いを「血の一週間」と呼びます。

こうして、パリ・コミューンは、わずか72日間という短命政権に終わりましたが、後世のフランス政治に多大な影響を与えることになりました。

「パリ・コミューン」が政策として掲げた「教会と国家の分離」や「義務教育の無償化」などは、その次の政権に受け継がれることになります。今のフランスで、政教分離が厳格に守られているのも、その影響が今も続いているからともいえます。

その後、フランスでは、共和国憲法が制定され、「第三共和制」の時代へと移っていきます。その新体制は、ナチス・ドイツによってパリが占領される１９４０年まで続くことになります。

パクス・ブリタニカ

かくして大英帝国は完成した

英国は「二人の女王の時代に繁栄した」といわれます。16世紀のエリザベス１世の時代と、この項で紹介する19世紀のヴィクトリア女王の時代です。

同女王の在位期間は、１８３７年から１９０１年までの64年間。たしかに、その時代、大英帝国は最盛期を迎えました。当時のイギリスの植民地は、約２６００万平方キロで本国の約100倍、人口は約4億人にのぼりました。

また、比較的、平和だったことから、「パクス・ブリタニカ（イギリスによる平和）」とも呼ばれます。むろん、前に述べた古代ローマの繁栄の時代を「パクス・ロマーナ」と呼ぶことにちなむ言葉です。

なぜ、その時代、イギリスはそこまで繁栄したか——その秘密を探ってみましょう。まず、19世紀前半のイギリスは、世界に先駆けて産業革命を成し遂げ、唯一といっていい先進工業国になっていました。綿工業から鉄鋼業などの重工業に軸足を移し、1850年代には、イギリスの鉄鋼生産量はドイツの10倍、アメリカの4倍となり、1870年頃までの約1世紀間は、産業革命の先行者であり続けました。

また、イギリスは、原材料と市場を獲得するために、海外植民地を拡大、その富を吸い上げることで、空前の経済的繁栄を達成しました。要するに、イギリスは産業革命で工業生産力を上げて商品を大量生産、世界中を侵略して海外市場を獲得、商品を売りさばくことによって、地球全体を搾取したのです。

そのため、イギリスは「自由貿易体制」を推進します。大量生産品を売りさばくには、むろん保護貿易よりも自由貿易が有利です。それで、日本を含めた世界各国に開国や自由貿易を強制しました。そして、貿易がもたらした富によって、イギリスの金融業は爆発的に成長します。ロンドンのシティが世界金融の中心になったのです。日本も、明治維新後、シティからの借金で、文明開化を達成、後に日露戦争も、おもにイギリス資本からの借金で戦います。

また、イギリス経済の世界進出を支えたのは、強大な海軍でした。当時のイギリスは、どの国よりも優秀な軍艦を、どの国よりも早く建造する造船力を備えていたのです。その海軍力によって、イギリスは海路（シーレーン）を確保、とりわけ最重要植民地のインドと本国を結ぶ航路の確保を重視し、たとえばエジプトにスエズ運河ができると、すぐに買収して支配下に置きました。

鉄血政策

そもそもビスマルクは何がしたかった？

ドイツでは、近世から近代にかけて、小国家や都市国家など、小権力が乱立し、政治・経済・軍事、すべての面において「力」の集積が遅れ、近代化に出遅れました。何度か統一が試みられるものの、すべて不発に終わっていました。

その一方、経済面では、ドイツはイギリスについで産業革命をなし遂げ、19世紀後半になると、イギリスにキャッチアップしようとしていました。しぜん、産業資本家たちは、国内市場の統一と拡大を求めます。そうして、プロイセンを中心として統一しようという機運が盛り上がります。

1862年、プロイセン王のヴィルヘルム1世は、オットー・フォン・ビスマルクを宰相に任命します。ビスマルクは就任直後の下院での演説で、いわゆる「鉄血政策」を打ち出します。ビスマルクが議会演説で、「現在の問題は演説や多数決ではなく、鉄と血によってのみ解決される」と述べたことから、その名はつきました。「鉄」(武器)と兵士の「血」によって、課題の解決を図る政策でした。

その後、プロイセンは1864年、オーストリアと組んでデンマークと争い、デンマークが併合していた土地を占領します。そして1866年には、オーストリアを挑発して普墺戦争をおこし、わずか7週間でこれに勝利。プロイセンは、その勢いのまま、マイン川以北の22か国とともに北ドイツ連邦を樹立し、ドイツ統一への主導権を握りました。

プロイセンの快進撃は、その後も続きます。1870年、フランスのナポレオン3世を挑発し、開戦させ、その普仏戦争に勝利。鉄と石炭の産地であるアルザス・ロレーヌ両州の割譲と、50億フランの賠償金を勝ちとりました。

そのとき、ドイツ軍はパリを占領、ヴィルヘルム1世は1871年に敵国の本拠であるヴェルサイユ宮殿で、ドイツ皇帝に即位しました。奇しくも日本の事実上の統一、「廃藩置県」と同じ年のことでした。

ビスマルクは、ドイツ帝国の初代宰相となり、以後約20年間にわたって、ヨーロッパ外交の主導権を握ります。その時代は、皇帝の名ではなく、「ビスマルク時代」と呼ばれています。

太平天国の乱
中国民衆の反乱がもっている意味

ここで、中国史に目を移します。ヨーロッパが産業革命に成功し、爆発的に生産力や軍事力を伸ばしていた頃、中国は清朝が全盛時を過ぎた頃でした。

まず、清朝は、イギリスの罠にはまって、アヘン戦争（1840～42）に敗れると、その財政危機を乗り切るため、農民に重税をかけます。大増税は庶民を苦しめ、各地で反乱が続発することになりました。

その時代に現れたのが、自らを「キリストの弟」と称した洪秀全《こうしゅうぜん》です。洪秀全は信徒を集めると、満州人の王朝である清を倒して、漢人による国家を樹立しようと考え、1851年、広西省で蜂起、清朝に反旗を翻して、「太平天国」の建国を宣言しました。

洪秀全の太平天国軍は、農民らの支持を受け、清軍を破り、南京を占領。都市名を天京と改め、太平天国の首都としました。

しかし、太平天国の時代は長続きはしませんでした。中立を保っていた諸外国が、清朝支援に回ったからです。清朝も、曽国藩《そうこくはん》率いる湘軍や、李鴻章《りこうしょう》率いる淮軍が太平天国軍に抵抗し、太平天国側はしだいに追いつめられました。

そして、1864年、洪秀全が病死すると、すでに弱体化していた太平天国は滅亡の時を迎えます。ほどなく天京が陥落し、10数年続いた太平天国の乱はようやく終結しました。

扶清滅洋《ふしんめつよう》

義和団がかかげたスローガンの中身

　前項の太平天国の乱の鎮圧に手こずったことで、清朝はようやく軍を含めた近代化の必要性に気づきます。その後、西洋の技術を導入し、軍事力などの強化を図る動きを「洋務運動」といいます。

　しかし、そうした運動は、失敗に終わりました。中国の伝統的な制度や文化を残したまま、西洋文明の技術だけを利用することは、無理だったのです。

　そんな19世紀後半、清朝末期の中国では、ヨーロッパ人に対する不満がくすぶり続け、ついに世紀末近く、沸点に達しました。１８９９年、弥勒菩薩を信仰する「義和団」のメンバーが、キリスト教会を襲撃したのです。彼らは、ヨーロッパ人の侵入こそが諸悪の根源と考え、キリスト教会を破壊したのです。

　その義和団が提唱したスローガンが「扶清滅洋」です。「清朝を扶《たす》け、外国勢力（洋）を滅ぼす」という意味です。

こうしてはじまった義和団の乱は、短期間で広がり、翌1900年には20万人規模の運動へ発展しました。彼らは北京の外国人公館を包囲し、「外国人は中国から撤退せよ」と要求しました。

清朝は、義和団を取り締まるどころか、一連の行動を支持。そして、列強の連合艦隊が、天津近郊を占領したと聞くと、清朝は列強に対して宣戦を布告したのです。

その清朝の動きに付け入ったのが、イギリス、ロシア、日本、ドイツ、フランス、アメリカ、イタリア、オーストリアからなる八か国連合軍でした。これらの国々は、中国にさらに進出するため、義和団事件を利用しようと考えたのです。

八か国連合軍が本格的に軍隊を送り込むと、義和団はあっけなく鎮圧されます。義和団を支援した清朝は、多額の賠償金を要求され、さらなる不平等条約を押し付けられることになりました。

その後、清朝は、日清戦争にも敗れた後、辛亥《しんがい》革命によって滅亡します。1912年、最後の皇帝溥儀《ふぎ》が退位し、17世紀半ばから続いた歴史に終止符が打たれることになりました。

Chapter7　**現代**

エドワード８世の「王冠をかけた恋」の顚末は？

シュリーフェン・プラン

世界大戦を勝ち抜くためのドイツの作戦とは？

１９１４年、世界史上初の総力戦、第一次世界大戦がはじまりました。その発端となったのは、オーストリア・ハンガリー帝国の皇太子が、サラエボで暗殺されたことです。その事件をきっかけに、諸国の間で連鎖的に宣戦が布告され、たちまち世界大戦へと発展することになったのです。

世界大戦に至った第一の理由は、当時、列強各国がひじょうに複雑な「同盟関係」にあったことです。

まず、ドイツは、ビスマルク時代から、フランスを孤立させるため、オーストリア、イタリアと「三国同盟」を結び、ロシアとは独露再保障条約を結んで、フランスを牽制していました。

ところが、１８９０年、ドイツがロシアとの条約を延長しないとみると、フランスはすかさずロシアと同盟条約を結びます。この同盟締結によって、ドイツはフランスとロシアに腹背から挟撃される危険性が生じました。

そこで、ドイツ軍の参謀総長のシュリーフェンが、この項の見出し語となっている「シュリーフェン・プラン」を立案します。西のフランス、東のロシアをともに撃破するための秘策です。

その作戦要領は、まず東側のロシアが総動員令を発して、ドイツに対する戦闘態勢に入るやいなや、ドイツ軍は、まず東のロシアに備えるのではなく、反対方向の西に向かい、ベルギーに攻め込みます。フランスとの国境を直接突破するのは難しいため、ベルギーを迂回路として利用し、フランス軍を叩く作戦です。

そして、ロシア軍がドイツ国境に到達する前に、ベルギー経由でフランスを叩き、直ちに引き返して、ロシア軍を迎撃するというのが、この作戦の骨子です。ロシアからドイツまで距離があり、またロシア軍の移動速度が遅いことを見越したうえでの時間差・二正面作戦でした。

また、ドイツは、海軍を増強して、イギリスの制海力にも対抗しようとしました。それに対して、イギリスは１９０４年、フランスとの長年の対立関係を解消し、「英仏協商」を結びます。また、日英同盟を結んだのも、ロシアの南下対策であるとともに、ドイツ包囲網の一環という意味がありました。

こうして世界は、ドイツ・イタリア・オーストリアの「三国同盟」と、イギリス・フランス・ロシアの「三国協商」に二分されていたのです。

そのような世界情勢のなか、オーストリア・ハンガリー帝国の皇太子がセルビアの民族主義者に暗殺されたのです。

オーストリアは、直ちにセルビアに対して宣戦を布告します。ロシアはセルビア寄りだったので総動員令を出し、それが前述のドイツのシュリーフェン・プランの発動につながりました。ドイツは、フランスとロシアに宣戦を布告し、ベルギーへの進撃を開始しました。

ドイツ軍のベルギー侵入に対して、イギリスがドイツに宣戦を布告。こうして、サラエボで鳴り響いた一発の銃声をきっかけにして、世界の列強を巻き込む大戦争へ発展したのです。

当初、ドイツ軍は、シュリーフェン・プランによって、6週間で勝利できるとみていました。そして、計画どおり、ベルギーに侵攻しますが、意外にもベルギー軍の手強い抵抗にあって、タイム・スケジュール通りには進撃することができませんでした。

むろん、フランスはベルギーを支援し、さらにロシアが予想よりも早く進撃してきたため、ドイツは開戦早々、二正面戦争を余儀なくされました。ドイツの思惑をはずれ、戦況は両軍が塹壕《ざんごう》にこもって対峙する持久戦へと変化しました。

三月革命・十一月革命

なぜ、ロシア帝国はあっけなく倒れたか

ロシアの「三月革命」「十一月革命」は、それぞれ「二月革命」「十月革命」とも呼ばれます。西暦の三月と十一月が、ロシア暦の二月と十月に当たるからです。今は、西暦を用いた「三月革命」「十一月革命」がよく使われています。

この世界初の社会主義革命の引き金をひいたのは、第一次世界大戦でした。ロシアは、工業化、資本主義化が遅れていたため、総力戦となった戦いに最も痛めつけられることになったのです。

当時のロシアはロマノフ朝の専制下にあって、近代化が遅れていました。そこへ

世界大戦が勃発し、大勢の農民や工場労働者が戦場に送られたため、生産力がますます低下、都市部に食糧が入ってこない状態になりました。むろん当然、価格は暴騰し、開戦以降の3年間でパンの価格は5倍まで跳ね上がりました。

1917年3月、当時の首都のサンクトペテルブルクで、まず女性労働者たちがストライキに入ります。それをきっかけにストライキやデモが広がり、数日のうちに労働者によって自治機関の「ソヴィエト」が結成されました。そこへ軍隊が合流し、ソヴィエトが首都の事実上の支配権を握りました。

その後、自由主義派の議員によって臨時政府が樹立され、ニコライ2世が退位します。その際、帝位を譲るとされた弟のミハイルが辞退したため、ロマノフ王朝はあっけなく倒れました。そうした一連の出来事を「三月革命」と呼びます。

そうした事態の推移を亡命先のスイスから観望していたのが、革命家のレーニンです。彼は、ロシアの敵国ドイツの協力を得て帰国します。ドイツは、有力な革命家を送り返して、ロシア国内の革命騒ぎが大きくなれば、その分、戦況が有利になるとみて、レーニンの帰国をサポートしたのです。

レーニンは帰国後、「四月テーゼ」を発表します。そのなかで、彼は、臨時政府の戦争継続という方針に対して、「即時停戦」を訴えました。

しかし、当初、ソヴィエト内では、レーニンの率いるボリシェヴィキは、臨時政府に協力的なメンシェヴィキに対して、少数派でした。ところが、同年9月、帝政派のクーデターをきっかけに、形勢が逆転します。ボリシェヴィキがそのクーデターを抑えたことで、ソヴィエト内で、ボリシェヴィキが多数を占めるようになったのです。

１９１７年11月、ボリシェヴィキはついに一斉蜂起、臨時政府を武力で倒して、世界初の社会主義政権を樹立しました。これを「十一月革命」と呼びます。

その後、ソヴィエト政権は、「平和に関する布告」で、全交戦国に戦争の即時停止を呼びかけ、第一次世界大戦から退きました。ドイツがレーニンを帰国させた思惑は、とりあえずは実ったのでした。

そしてレーニンは「土地に関する布告」を宣言、地主の土地を没収し、農民に分配しはじめます。その後、レーニンとボリシェヴィキは、憲法制定議会の選挙にいったん破れて、社会革命党に第一党を譲ることになります。しかし、レーニンは武力によって議会を解散させ、ボリシェヴィキの一党独裁体制を確立します。

以後、ボリシェヴィキは「共産党」と名前を変え、対立勢力を次々と粛清、独裁体制を築き上げていくのです。

ヴェルサイユ体制

第一次世界大戦後のヨーロッパの新秩序の読み方

では、第一次世界大戦は、その後、どのように推移したのでしょうか。

塹壕戦が続き、膠着状態になっていた戦いですが、ロシアの三月革命直後の1917年4月、アメリカがドイツに宣戦布告すると、戦況は一気に協商側（イギリスやフランス側）優勢に傾きます。

また、スペイン風邪が大流行し、各国、とくにドイツ軍の「体力」を奪っていました。ロシアが戦争から下りたくらいでは、ドイツは、そうしたマイナスを埋められませんでした。

そうして、敗色濃厚となったドイツ国内では、反戦運動が広まり、革命騒ぎとなって、皇帝ヴィルヘルム2世は退位を余儀なくされました。共和国が樹立され、1

９１８年11月、パリ郊外で、イギリス・フランスなどとドイツとの間に休戦条約が調印されます。

そして、翌年1月から、連合国とドイツの講和会議がパリで開かれ、６か月にわたる会議の末、ヴェルサイユ条約が調印されます。この条約にもとづく第一次世界大戦後のヨーロッパの新秩序を「ヴェルサイユ体制」と呼びます。

パリ講和会議では、アメリカのウィルソン大統領が理想主義を掲げるものの、結局はイギリスのロイド・ジョージ首相やフランスのクレマンソー首相に議事をリードされ、ドイツに対して、きわめて厳しい内容の条約が結ばれました。

まず、ドイツは、鉄鉱石の約90％を産出していたアルザス・ロレーヌ地方をフランスに割譲、炭田地帯のザール地方は国際連盟の管理下に置かれました。これで、ドイツは領土の13％、人口の10％を失いました。

加えて、ドイツは、海外の領土や植民地をすべて取り上げられ、軍備は陸軍が10万人以下、海軍は軍艦保有を10万トン以下に制限されました。さらに、１３２０億金マルク（当時のドイツのＧＮＰ20年分）という途方もない額の賠償金を課せられたのです。

ドイツ経済は完全に破綻し、一時は1ドルが4兆2000億マルクになるというハイパー・インフレ状態に陥りました。

三枚舌外交
パレスチナが世界の〝火種〟になった原点

今も続く「パレスチナ問題」の原因は、遠く、第一次世界大戦前後のイギリスの「三枚舌外交」にあります。

「三枚舌外交」は俗語的であり、辞書や教科書に出てくる言葉ではありませんが、当時のイギリスの外交姿勢を表す言葉として、一般の歴史書にはよく登場します。

ここで、中東の歴史を簡略にふりかえります。現在、パレスチナと呼ばれる地域には、古代、ユダヤ教を信仰するヘブライ人が住んでいました。ヘブライ王国やユダ王国が栄えましたが、紀元前1世紀からは、ローマ帝国の支配下に入り、ユダヤ教を信仰する人々は世界に散らばっていきました。そして、ユダヤ教の流れをくむキリスト教も、この地で生まれました。

その後、パレスチナの地にはしだいにアラブ人が増え、彼らの多くは7世紀頃からはイスラム教に改宗していきます。そのため、エルサレムは、ユダヤ教、イスラム教、キリスト教の3宗教の聖地となりました。

一方、キリスト教徒は、11世紀後半から、十字軍を派遣して聖地奪還を目指しますが、失敗に終わったのは前述のとおりです。

その後、オスマン帝国がこの地域を支配し、20世紀になるまで領土としていました。そして、第一次世界大戦で、オスマン帝国はドイツ側につき、英仏ロの三国協商側と戦います。中東が世界の火薬庫化する直接的な原因は、この時期のイギリスの外交姿勢にあります。

まず、イギリスは、この地のアラブ勢力を味方にひきいれるため、「戦後、オスマン帝国からの独立を認める」ことを約束します。それが、1915年の「フサイン・マクマホン協定」です。フサインは、メッカの太守だったフサイン・イブン・アリのこと。マクマホンはイギリスの当時の駐エジプト高等弁務官でした。両者の間で結ばれたので、この名があります。

また、イギリスのバルフォア外相は、戦費調達のため、ユダヤ資本のロスチャイルド家の協力を得るため、「パレスチナに、ユダヤ人のナショナル・ホームを設立する」と約束します。これが、1917年のバルフォア宣言です。

さらにフランスとは、この地域の支配権をイギリス・フランス両国で分け合うという秘密協定を結びました。それが、1916年に締結された「サイクス・ピコ協定」です。

サイクスは、イギリスの中東専門家マーク・サイクス、ピコはフランスの外交官フランソワ・ジョルジュ=ピコの名です。両者によって、原案が作成されたことから、この名で呼ばれます。

そして、第一次世界大戦が終わると、バルフォア宣言の影響もあって、ユダヤ人がこの地に移住してきます。とりわけ、第二次世界大戦後には、その数が激増しました。しかし、もともと、そこはアラブ人が住んできた土地であり、当然、紛争が発生します。

第二次世界大戦後、イギリスは国力を落としていたため、手に負えなくなって、1947年、パレスチナ問題を国連にゆだねます。

その後、国連によって、ユダヤ人の土地とアラブ人の土地を切り分ける「パレスチナ分割」が行われ、イスラエルは分け与えられた土地で建国を宣言します。そして、それを認めないアラブ諸国との間で、その後、長期にわたる中東紛争がはじまったのです。

暗黒の木曜日

資本主義は、その日なぜ壊れたのか

第一次世界大戦後、世界の覇権は事実上、イギリスからアメリカの手に移り、アメリカは空前の経済的な繁栄期を迎えました。しかし、アメリカの繁栄は、突然終わりのときを迎えます。１９２９年10月24日、いわゆる「暗黒の木曜日」（ブラック・サーズデー）が訪れたのです。

この日、ニューヨーク・ウォール街の証券取引所で、株価が大暴落しました。翌週の月曜、火曜も暴落が続き、以後、アメリカ経済は恐慌状態に陥ったのです。

その背景には、いくつかの理由がありました。まずは、アメリカの生産力が大きくなり過ぎていたことです。当時、アメリカの生産力は、世界の42％にも達してい

ました。しかし、各国の購買力がそれに追いつかず、需要と供給のバランスが崩れていました。

その一方で、アメリカの株価は、空前のバブル状態に突入していました。第一次世界大戦後、アメリカ経済が一人勝ち状態だったため、株価が高騰。誰もが株で一儲けしようと、株を買いあさっていたのです。

そのようにして、アメリカでは生産過剰の状態が続くなか、株や土地への投機が続けられ、株価や地価はバブル局面に入っていました。そして、ヴェルサイユ条約調印からちょうど10年後、バブルは破裂したのです。株価は1か月で40％も暴落、以後3年間、下落基調を続けます。

その間、多数の銀行・企業が倒産し、失業者が続出、消費は縮小して、不況のサイクルが繰り返されます。アメリカ発の恐慌は、世界の他の資本主義国へも波及し、「世界恐慌」へと発展しました。

不況のピークは1932～33年頃。その頃、アメリカでは5000以上の銀行が倒産し、失業率は25％に達していました。国民の4人に1人が職を失っていたのです。

その非常事態に、フランクリン・ルーズベルト大統領（1933年就任）は「ニューディール政策」を推進します。それは、大恐慌克服のために実施された経済政策のことで、「ニューディール」とは「新規まき直し」を意味します。基本的には、いわゆるケインズ政策に基づいて、公共投資で需要と雇用を増やすという経済政策でした。

しかし、結局、ニューディール政策は、急速な景気回復にはつながらず、アメリカが本当に景気回復したのは、第二次世界大戦がはじまり、アメリカの工場という工場がフル生産態勢に入ってからのことです。ただし、新しい資本主義のあり方にトライした「ニューディール政策」は、その後の経済政策に大きな影響を与えることになりました。

一方、イギリスやフランスは、関税を引き上げ、植民地を含めた「ブロック経済化」で切り抜けようとします。

世界恐慌に対して、ドイツ、イタリア、日本は、統制経済そしてファシズムへの道を歩みはじめます。そうして、第二次世界大戦へ向かう軍靴の音が高鳴りはじめるのです。

王冠をかけた恋

エドワード8世の恋の顚末

第二次世界大戦の開戦を3年後に控えた頃、イギリスで前代未聞の王室スキャンダルが持ち上がりました。わずか1年のうちに、国王が3人も交代したのです。

ことは、1936年1月、英国王のジョージ5世が亡くなり、エドワード8世が即位したことにはじまります。その新国王は、在位わずか325日間、12月には退位して、弟のヨーク公ジョージ（エリザベス女王の父）がジョージ6世として即位しました。

退位したエドワード8世は、まだ40代で、病弱でもありませんでした。退位の理由は「恋を実らせる」ためでした。

彼は、就位前から、ウォリス・シンプソン夫人というアメリカ人女性と恋仲だったのですが、彼女には離婚歴があったうえ、新しい夫がいる身の上でした。それでも、エドワード8世は、彼女と結婚する方向に話をすすめます。シンプソン夫人は

10月、夫と離婚しますが、それでも政府と議会は2人の結婚を承認しませんでした。

そして、当時の英国首相は、エドワード8世に王冠をとるか、退位するかを迫り、エドワード8世は恋を選択して退位したのです。

それはそれで、ロマンチックな話ではあり、この話は「王冠をかけた恋」としてドラマにもなって語り継がれてきたのですが、その後、政府や議会が強硬に王の結婚を認めなかった理由として、次のような説が浮上します。

シンプソン夫人は、ナチス・ドイツの外相リッペンドロップと愛人関係にあり、英国政府は夫人からドイツに機密が漏れることを警戒したというのです。やはり、この時期のヨーロッパでの出来事は、一見ロマンスのようでも、ナチス・ドイツの台頭を抜きには語れないようです。

水晶の夜

ナチス・ドイツの悪名高い二つの「夜」

そのナチス・ドイツをめぐっては、悪名高い「夜」が二つあります。「水晶の夜」

と「長いナイフの夜」です。

まず、「水晶の夜」は、1938年11月9日の夜から翌未明にかけて起きた反ユダヤ主義の暴動を指します。ドイツ語では「クリスタル・ナハト」のようにいいます。

その夜、ドイツ各地で、ユダヤ人の居住地やシナゴーグが襲撃、放火されました。「水晶の夜」という名は、破壊された店舗などのガラスが、水晶のようにきらめいていたことから名づけられました。その暴動は自然発生的なものではなく、ナチスの宣伝相ゲッベルスが配下に命じた官制の暴動だった疑いが濃厚です。

一方、「長いナイフの夜」は、その4年前の1934年6月、ナチスの親衛隊らが、突撃隊（ナチスの私兵部隊）に対して行った粛清事件です。エルンスト・レームら突撃隊幹部や大勢の隊員が殺害されました。その数は、116名殺害という説もあれば、1000人以上にのぼるという説もあります。

そのような事件の背景には何があったのか。ここで、ドイツの第一次世界大戦直後からの国内情勢をふりかえってみます。

敗戦によって、ドイツは巨額の賠償金を課され、貨幣価値が1兆分の1以下にまで下落するハイパー・インフレを経験しました。その後、デノミネーションなどによって、なんとかインフレを脱却し、１９２５年に国際連盟への加入が認められると、ドイツ経済はいったんは復興の道をたどりはじめます。

しかし、そこへ世界大恐慌の嵐が吹き荒れます。ドイツでも、銀行の破綻と企業倒産が相次ぎ、失業者が街にあふれました。そのなか、まず共産党が支持を広げ、それに危機感を覚えた資本家は、ヒトラー率いるナチスに期待をかけはじめます。

ナチスとは政党名の略称ですが、その政党はヒトラーがはじめた党ではありません。１９１９年9月、ナチスの前身である「ドイツ労働者党」の集会を、ヒトラーは聴衆の一人として聞いていました。ヒトラーは当時、軍の情報関係の仕事をしていて、軍の命令で、集会を監視するために派遣されていたのです。

ところが、ヒトラーは飛び入りして、自ら演説してしまいます。それが当時の党幹部の目にとまり、４日後には入党します。当時は、党員わずか50名程度の小政党でした。

その後、ヒトラーは軍の仕事をやめ、党務に専念します。ヒトラーは弁舌の才に磨きをかけ、集会などで雄弁を振るっては党員を増やし、やがては党のトップの座に就きます。そして党名を「国家社会主義ドイツ労働者党」（ナチス）に改めました。「国民社会主義ドイツ労働者党」とも訳されますが、それは最初のNationalをどう訳すかの問題です。

その後、ヒトラーは、ヴェルサイユ条約の破棄、反共産主義、ユダヤ人排斥を訴え、ナチスは選挙のたびに議席を伸ばします。1932年の選挙で、ナチスはついに第一党となり、翌33年1月30日、ヒトラーは首相の座に就きました。

さらに、その後の選挙で再び勝利すると、ヒトラーは全権委任法を国会に承認させ、国会から立法権を奪取します。ヒトラーはまもなく政党禁止法によって、ナチス以外の政党を禁止。11月に再び国会選挙を実施して、国会議員のすべてをナチス議員としました。

翌34年6月、前述の「長いナイフの夜」に、党内の反対派や不満分子を粛清、独裁体制をさらに強化します。そして8月、ヒンデンブルク大統領が亡くなると、国家元首の座に就きます。

こうして、国内の独裁体制を固め上げたヒトラーは、いよいよ対外的にヴェルサイユ体制に対して、攻勢をかけるのです。

ハルノート

太平洋戦争をその「きっかけ」からひもとく

その後、ヒトラー率いるドイツは、１９３５年1月、工業地帯のザール地方で住民投票を実施し、ドイツ併合派が多数を占めたという理由付けで、ドイツ領に復帰させました。そして5月、ヴェルサイユ条約の軍事制限条項を破棄し、再軍備を宣言します。

そして、あまり知られていませんが、この年、ドイツはイギリスと海軍協定を結んでいます。それは、ソ連がフランスと相互援助条約を結んだ動きに対抗するもので、その時点では、イギリスはまだ、ドイツをソ連に対する防壁に利用しようと考えていたのです。

ドイツは、イギリスとの協調によって勢いに乗り、翌36年3月、ヴェルサイユ条約で非武装地帯とされていたドイツ西部の工業地帯ラインライトへ進駐します。

38年には、軍事的恫喝によってオーストリアを併合。加えて、チェコスロバキアにズデーテン地方の割譲を要求します。戦争を避けたいイギリスとフランスは、これさえ承認します。

しかし、その後、ドイツがチェコスロバキアに侵攻して、同国を解体しはじめると、さすがに両国は態度を硬化させ、対ドイツ戦に備えて軍備の拡大を急ぎます。

その動きに対して、ドイツはソ連と不可侵条約を結んだうえで、39年9月1日、ポーランドへ侵攻しました。これに対して、イギリスとフランスは、ついにドイツに宣戦を布告しました。

こうして、ヨーロッパの戦いははじまりました。一方、アジアでの戦い、「太平洋戦争」はどのようにして、はじまったのでしょうか。

日本軍が真珠湾を攻撃する1年前の段階では、まだ日本政府内には、アメリカとの関係を修復、対米戦争を避けようという動きがありました。

アメリカ側も、国務長官のコーデル・ハルが、アメリカ人神父の提案した「日米国交打開策」を原案に交渉をはじめることを提案。関係改善に向けた日米交渉が開始されました。

なお、その後、日米開戦まで、日本の交渉相手となったコーデル・ハルは練達の外交家で、１９３３年から１９４４年まで、米国史上、最長の期間、国務長官を務めた政治家でした。その間を通じて、外交の最前線にあったほか、「国際連合」の設立に尽力したことで、１９４５年にノーベル賞を受賞しています。

しかし、交渉が長引くなか、１９４１年６月、ドイツがソ連に戦争を仕掛けると、雰囲気が一変します。その緒戦のドイツの快進撃に押されるように、日本政府は「大本営政府連絡会議」で、南方（仏印）へ進出するという方針を決定するのです。そして、その目的を達成するためには、「対米英戦争も辞さず」と結論づけました。

アメリカは、すでに日本の暗号外交電文の解読に成功していましたので、この決定はアメリカにも筒抜けになりました。

そして、日本は予定どおり、南部仏印に軍を進め、アメリカは日本に対する石油禁輸で応じます。当時の日本は、戦後の日本のように、中東から石油を買っていたわけではありません。大半の石油は、アメリカから輸入していました。そのため、国内に「どうせ対米戦をやるなら、石油備蓄が切れるまえに、早くしたほうがよい」という考えが広がります。10月、近衛文麿首相が辞表を提出。代わりに東條英機内閣が成立しました。

東條内閣は、対アメリカ戦の是非について再検討します。その後、紆余曲折はあったものの、最終的な結論は、11月29日まで外交ルートによる日米交渉を続け、期限切れの場合、開戦することに決まりました。

日本は11月、日米交渉用に強硬な甲案と妥協した乙案を用意します。まず7日、野村駐米大使が甲案を示すと、アメリカは14日に「ノー」と告げます。次に、野村大使が乙案を示すと、交渉期限の迫った26日、ハル国務長官は乙案を拒否、これがアメリカの最終的返事であると、いわゆる「ハル・ノート」を提出します。

それは、日本が日露戦争以降、東アジアで築いた権益・領土のすべてを放棄することを求めるというひじょうに強硬なものでした。

そのハル・ノートの提示を受けて、東條内閣は12月1日の御前会議で、日米開戦を最終決定します。こうして、日米は戦うことになったのです。

日本は約半年間、快進撃を続け、東アジアの大半を手に入れます。しかし、1942年、ミッドウェー海戦で敗れると、その後は、米軍の反撃の前に撤退を余儀なくされます。

一方、ヨーロッパでは、1943年、ドイツがスターリングラードの戦いでソ連に大敗すると、形勢は連合軍に傾きはじめます。１９４３年9月には三国同盟の一角を占めていたイタリアが降伏。１９４４年には連合軍がノルマンディに上陸し、パリを奪回します。翌45年４月、ベルリンが陥落、ヒトラーは自殺して、5月、ドイツは無条件降伏しました。そして8月、日本も無条件降伏を受け入れることになったのです。

鉄のカーテン

誰が何を批判した言葉？

第二次世界大戦後、世界は、アメリカを盟主とする資本主義・自由主義陣営と、ソ連を盟主とする共産主義・社会主義陣営に分かれます。両者は長く対立しましたが、米ソが直接戦うことはなかったので、両者の関係は「冷戦」（Cold War）と呼ばれました。

その発端は、第二次世界大戦中の「ヤルタ会談」にあります。アメリカ、ソ連、イギリスの首脳の協議によって、ドイツを含む中部・東部ヨーロッパが東西陣営に分割されることが事実上決まった会議です。

その合意によって、ソ連は、ポーランド、ハンガリー、ルーマニア、ブルガリア、ユーゴスラビアの東欧5か国を自陣営に引き入れます。それらの国々では、共産主義勢力を中心とする政権が樹立されました。

その情勢を見て、1946年、イギリスのチャーチルがアメリカ訪問中、ミズーリー州のフルトンで、有名な「鉄のカーテン」演説を行います。「シュチェチン（ポーランドの都市）からトリエステ（ユーゴスラビア国境に近いイタリアの都市）まで、鉄のカーテンが下ろされている」と演説したのです。ソ連と東欧の社会主義諸国の閉鎖的な態度を批判した言葉です。

また、アメリカは、ギリシアとトルコの防衛を引き受けることを宣言、ソ連を東欧地域に封じ込める戦略を明らかにします。さらに、ヨーロッパ復興計画（マーシャル・プラン）を発表して、西ヨーロッパへの大規模援助をはじめました。

その頃、敗戦国のドイツは、英米仏ソによって分割占領されていましたが、その占領方式や賠償問題をめぐって、英米仏とソ連が対立します。1949年、西側の占領地域にドイツ連邦共和国（西ドイツ）、ソ連の占領地域にドイツ民主共和国

（東ドイツ）が成立し、ドイツは分裂国家となりました。

冷戦はアジアにもおよび、１９４９年に成立した中華人民共和国はソ連と手を結びます。朝鮮半島やベトナムでは、米ソの代理戦争が起きました。

そして１９６２年、社会主義化したキューバに、ソ連が攻撃用ミサイルを配備すると、アメリカは臨戦態勢を敷き、事態は第三次世界大戦、核戦争の開戦直前にまで至りました。両国の交渉によって、最悪の「熱戦」はなんとか回避されました。

米ソは、核戦争寸前の事態を経験したことで、その後、戦略核制限交渉をスタートさせ、冷戦の緊張状態が緩和される「デタント」の時代に移りました。

しかし、１９７９年、ソ連がアフガニスタンへ侵攻し、緊張緩和の時代は終了。「新冷戦」の時代に突入し、それはソ連にゴルバチョフが登場するまで続きました。

文化大革命

社会主義国家・中国の激しい政治闘争の結末

太平洋戦争後の中国では、蒋介石率いる国民党と、毛沢東率いる共産党の争いが激化しました。共通の敵だった日本を破ったことで、両者の対立が表面化、１９４６年、内戦状態に突入します。

１９４８年までは、国民党が戦いを優勢にすすめていました。ところが、同党内部の腐敗などによって、同党は国民の信頼を失い、共産党が支持を拡大します。国民党軍は48年後半からの大きな戦闘に連敗し、台湾に脱出します。共産党は大陸全域を掌握し、１９４９年10月、中華人民共和国の成立を宣言、毛沢東が主席の座に就きました。

その後、共産党政権は、社会主義国家の建設をすすめ、１９５０年には土地改革法を公布して地主制は撤廃。地主の土地を没収し、農民に分配します。１９５３年からは第一次五カ年計画を実施、銀行・工場の国営化、農業の集団化をすすめました。

さらに、その5年後、「大躍進」をスローガンに掲げ、第二次五カ年計画を実施に移します。しかし、その原理主義的な集団化政策は大失敗に終わり、国民は飢えに苦しむことになります。毛沢東は、その失敗で、国家主席の座を劉少奇に譲ることになりました。劉少奇は、私的な経営を一部認めるなどの現実的な政策を展開、経済は回復のきざしを見せはじめます。

ところが、毛は、劉の政策を資本主義への逆行だとして認めず、復権を狙って「文化大革命」（中国での正式名は「無産階級文化大革命」）という政治闘争を発動します。毛の指導のもと、紅衛兵と名づけられた学生らの組織が幹部を攻撃し、多数の反毛沢東的な政治家が失脚しました。劉も失脚し、毛がトップの座に返り咲きます。

外交的には、この時期、ソ連との関係が険悪になり、１９６９年には北方の国境地帯で武力衝突が起きます。そうした中ソの対立を利用しようと、アメリカは中国に接近、72年、ニクソン大統領が訪中しました。同年には、日本の田中角栄首相が訪中し、日中国交正常化を実現します。

１９７６年、毛沢東が亡くなり、これを機に文革派の江青（毛沢東の妻）ら、いわゆる「四人組」が逮捕され、１９６６年より続いた文化大革命は、ようやく終わりを告げました。

以後は、劉の流れをくみ、柔軟で現実的な政策を持つ鄧小平が、政権を掌握、中国は改革・開放路線に舵を切ります。

北緯38度線

この線が朝鮮半島を分断するまでの経緯

戦前、朝鮮半島は日本の植民地でしたが、日本が敗れると、朝鮮半島は、北緯38度以北をソ連、以南をアメリカが統治すると取り決められました。

その分断は当初、5年を期限とする暫定的なものでしたが、やがて朝鮮半島も冷戦構造に巻き込まれ、1948年には、南に大韓民国、北に朝鮮民主主義人民共和国が成立し、南北の分断状態が固定化します。

そして1950年6月、北朝鮮の攻撃によって、朝鮮戦争がはじまります。戦況は当初、北朝鮮が優勢で、開戦から2日にしてソウルを占領。8月には、韓国軍を朝鮮半島南端のプサン周辺にまで追いつめます。

しかし、国連安全保障理事会が国連軍派遣を決定し、アメリカが仁川上陸作戦を敢行すると、戦局は一変します。国連軍（実質的には米軍）は9月にソウルを奪還、38度線を越えてピョンヤンを陥落させるまで、北朝鮮を追いつめます。

すると、中国が国境寸前まで米軍が進撃したことに脅威を感じ、北朝鮮の要請に応じる形で参戦すると、その後、戦線は一進一退を繰り返す膠着状態となりました。結局、１９５３年7月に休戦協定が結ばれ、再び38度線をほぼ境界線とすることで、戦いはひとまず終わりを迎えました。

この戦争で亡くなった人は、南北合わせて約１２６万人。また、南北分断によって、多くの離散家族が生まれるという悲劇が生じました。

ヨーロッパ統合

理想と現実の中で誕生したEU

二度の大戦を経験したヨーロッパでは、三度目の大戦を避けるため、戦後「統合」への模索を続けてきました。その最初の動きは１９５２年、「ヨーロッパ石炭鉄鋼共同体（ＥＣＳＣ）」が発足したことです。それは、フランス・西ドイツ・イタリア・ベルギー・オランダ・ルクセンブルクの6か国が参加した経済協力機構で、石炭・鉄鋼の価格やその労働条件などの共同管理を目的とした組織でした。これが、58年発足のヨーロッパ経済共同体（ＥＥＣ）の母体になりました。
そして67年には、ヨーロッパ石炭鉄鋼共同体やヨーロッパ経済共同体（ＥＥＣ）などの統合が行われ、ヨーロッパ共同体（ＥＣ）が成立します。ＥＣの加盟国間では関税が撤廃され、領域外の国には共通関税を設定するなどして、経済的統合が進められました。

ＥＣには、その後イギリスをはじめ、ギリシア、スペイン、ポルトガルなどが加盟。１９９２年にはマーストリヒト条約を採択し、単一通貨を導入することで合意します。そして、翌年11月、ＥＣは12か国からなるヨーロッパ連合（ＥＵ）へと発展しました。現在、ＥＵ域内では統一通貨ユーロが導入されていますが、それもマーストリヒト条約に基づいたものです。

鉄の女

サッチャーはイギリスをどう復活させたのか

イギリスにとって、第二次世界大戦は、足かけ7年にわたる長期戦でした。経済は疲弊し、戦後、大半の植民地を失うことで、かつての大英帝国は没落の一途をたどっていました。その惨状は「イギリス病」と呼ばれ、〝病状〟が最も悪化したのは1979年冬のことでした。

物価高と不景気のダブルパンチに苦しむなか、労働争議が深刻化、公共サービス関係の労働者が長期ストに突入したことから、ゴミは何週間も回収されず、死体の埋葬も拒否されるという事態に陥りました。

そんななか、総選挙で保守党が大勝し、保守党党首のマーガレット・サッチャーが、イギリス初の女性首相となりました。「鉄の女」は、イギリスを復活へと導きます。

その「鉄の女」という名は、当初はほめ言葉ではありませんでした。最初に使ったのはソ連の国防省の機関紙で、サッチャーの共産主義に対する不寛容な態度を非難するためのネーミングでした。それが、後に世界で使われるようになったのです。なお、本人はけっこう気に入っていたようです。

サッチャーが行った経済政策は、原理主義的な市場主義に立ち返るというものでした。サッチャーは「イギリス病」の原因を、高福祉と産業の国有化という社会主義的な政策にあると見て、公共支出を抑制、国営企業の民営化をすすめました。

一時的に支持率が急低下しますが、サッチャーにとって幸運だったのは、アルゼンチン軍が突然、イギリス領のフォークランド諸島に上陸してきたことです。同諸島の領有に関して、両国は長くもめていましたが、この年、アルゼンチンは軍事占領を開始したのです。サッチャーは、それに対して断固たる行動に出ます。

英国艦隊を急派、イギリス海軍は7隻を失うものの、アルゼンチンを屈伏させます。その勝利によって、サッチャーの支持率はV字回復、サッチャー流の新自由主義的な改革に追い風が吹きはじめたのです。以後、イギリス経済は急回復していきます。

ペレストロイカ

ソ連崩壊までの知られざるドキュメント

ソ連は第二次世界大戦後、アメリカに対抗して、社会主義陣営を築いたものの、やがて官僚機構は硬直化、経済力・工業力で西側に、大きく水を開けられる状態になっていました。そして1979年、アフガニスタンに侵攻したものの、戦況は泥沼化しました。

そんな状況下の1985年、ソ連共産党書記長の座に就いたのが、ゴルバチョフでした。彼は、ブレジネフ、アンドロポフ、チェルネンコといった老指導者亡きあと、共産党書記長に選出されたのです。

ゴルバチョフは、ロシア語で「建て直し」を意味する「ペレストロイカ」を提唱し、民主化・自由化に着手、さらに情報公開（グラスノスチ）を推進します。経済面では、統制経済を緩和し、個人営業や協同組合を公認します。

88年には自由選挙を実施して、共産党の一党独裁に終止符を打ち、翌年、アメリカのブッシュ大統領とマルタで首脳会談を行い、冷戦の終結を宣言しました。

そうしたペレストロイカの動きは、東欧に影響し、各地で民主化を求めるデモが頻発します。1989年11月には、ベルリンの壁が崩壊、東ドイツの指導者、ホーネッカー書記長は退陣し、東西ドイツは1990年、統一を成し遂げました。

こうした東欧の民主化は、ソ連邦内にフィードバックし、バルト3国が独立を宣言、15共和国によるソ連邦体制が崩壊しました。

91年8月、守旧派がクーデターを起こしますが、エリツィンの反撃にあって失敗に終わります。それが、ソ連邦崩壊のスピードを速め、12月、ロシア共和国など12共和国によって、ソ連に代わる新たな枠組み「CIS（独立国家共同体）」が設立されました。

これによって、ソ連は存在意義がなくなり、12月25日、ゴルバチョフは大統領を辞任。クレムリンに掲げられていたソ連国旗が降ろされ、ソ連邦は崩壊しました。

コラム2

時代とともに言い方が変わった世界史の言葉

近年、世界史に登場する「名前」が、どんどん変わっています。「リンカーン」が「リンカン」になったり、「ガンジー」が「ガンディー」に変わっていたりするのです。

とりわけ、40代以上の方が今、世界史の本を読むと、「こんな名前、聞いたことがないぞ」としばしば思われるはず。このコラムでは、どのような名前がどのような理由で変わっているのか、その「歴史」をご紹介しましょう。

■「英語由来」の表記・発音を避けるため、変化した言葉

◉マホメット↓ムハンマド

世界史に出てくる人名や地名には、もともと「英語」由来の言葉が多かっ

たのですが、近年は「なるべく現地の音に近づける」という方針が確立して、表記が改められています。

これは、その代表例。イスラム教の預言者であり、創始者の名は、以前は英語由来で「マホメット」や「マホメッド」と呼ばれていましたが、今はアラビア語の発音にもとづく「ムハンマド」に、ほぼ統一されています。

なお、イスラム教の聖典「コーラン」も、専門書などでは、原音により近づけるべく、「クルアーン」が使われることが増えています。


◉アレキサンダー大王→アレクサンドロス大王

本文でも述べたように、かつては英語由来の「アレキサンダー大王」が使われていましたが、今は原音に近づけ、「アレクサンドロス大王」、あるいは「アレクサンドロス3世」と呼ばれます。

同様に、「ジュリアス・シーザー」（英語由来）から、古代ラテン語の原音に近い「ユリウス・カエサル」に変化しています。

◉コロンブス→コロン

アメリカ新大陸に初めて到達した航海者の「コロンブス」という名は、英語由来。スペイン語では「コロン」、また彼の祖国のイタリア語では「コロンボ」と呼びます。そこで近年、「コロン」と表記する歴史家もいます。ただ、教科書や事典は、今も「コロンブス」を使っています。

◉マゼラン↓マガリャンイス

大航海時代のポルトガルの航海者。「マゼラン」という名は英語由来で、ポルトガル語での名は「マガリャンイス」です。今は、日本の歴史書にも「マゼラン（マガリャンイス）」のように併記するものが出はじめています。

◉コサック↓カザーク

ロシアの辺境民。英語ではCossacksで、その発音から日本では「コサック」と呼ばれてきましたが、ロシア語ではKazakで「カザーク」に近い言葉です。今は日本でも「カザーク」を見出し語にする辞書が増えています。

◉ベニス↓ベネチア

イタリア北東部の港湾都市。「ベニス」は英語由来の名で、今はイタリア語の発音に近い「ベネチア」がよく使われています。また、「フィレンツェ」もかつては英語由来で「フローレンス」と呼ばれることがありましたが、最近はほとんど聞かなくなりました。

■原音に近づけるため、小さな「ッ」が消えた言葉

◉ヒットラー↓ヒトラー

かつては「ヒットラー」のように、小さな「ッ」をはさんで表す人名や地名が多かったのですが、今は原音に小さな「ッ」音がない場合は、カタカナ表記から省略するようになっています。

◉ムッソリーニ↓ムソリーニ

これも同様で、原音にはない小さな「ッ」が消えたパターンです。「ルネッサンス」も近年は「ッ」を省いて「ルネサンス」と表します。

■「ー」が消えたり、その位置が変わった言葉

◉リンカーン↓リンカン

アメリカ南北戦争時の大統領。その名は、「リンカーン」と表されてきましたが、今はほとんどの教科書で「リンカン」と表記されています。そのほうが原音に近いためです。

◉ムガール帝国↓ムガル帝国

インド最後のイスラム帝国。日本では長らく「ムガール」と表記・発音されてきましたが、これも原音に近づけ、「ムガル」と表すようになっています。

◉ネール↓ネルー

インド共和国の初代首相。彼の名は、かつての「ネール」から「ネルー」へと「ー」の位置が変化しています。また、インド独立運動の父、「ガンジー」は近年では「ガンディー」と書き表すことが多くなっています。